A Literatura Infantil na Escola

A Literatura Infantil na Escola

REGINA ZILBERMAN

global
editora

11ª Edição, Revista, Atualizada e Ampliada,
Global Editora, São Paulo 2003
6ª Reimpressão, 2021

Jefferson L. Alves – diretor editorial
Flávio Samuel – gerente de produção
Ana Cristina Teixeira – coordenação de revisão
Edna Luna e Solange Guerra Martins – revisão
Eduardo Okuno – capa
Antonio Silvio Lopes – editoração eletrônica

Dados Internacionais de Catalogação na Publicação (CIP)
(Câmara Brasileira do Livro, SP, Brasil)

Zilberman, Regina
A literatura infantil na escola / Regina Zilberman. – 11. ed. rev., atual. e ampl. – São Paulo : Global, 2003.

Bibliografia.
ISBN 978-85-260-0332-3

1. Literatura infantojuvenil – Estudo e ensino 2. Literatura infantojuvenil – História e crítica 3. Crianças – Livros e leitura I. Título.

03-1940 CDD–372.64

Índice para catálogo sistemático:

1. Literatura infantil na escola : Ensino fundamental 372.64

Obra atualizada conforme o
NOVO ACORDO ORTOGRÁFICO DA LÍNGUA PORTUGUESA.

Global Editora e Distribuidora Ltda.
Rua Pirapitingui, 111 — Liberdade
CEP 01508-020 — São Paulo — SP
Tel.: (11) 3277-7999
e-mail: global@globaleditora.com.br

globaleditora.com.br

/globaleditora

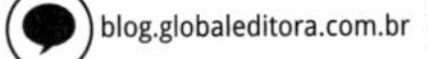

blog.globaleditora.com.br

/globaleditora

/globaleditora

/globaleditora

/globaleditora

Nº de Catálogo: **1257**

A LITERATURA INFANTIL NA ESCOLA

SUMÁRIO

O LIVRO PARA CRIANÇAS NO BRASIL

INTRODUÇÃO

A literatura infantil apresenta, no Brasil, um campo de trabalho tão extenso e desconhecido, que ocorre com o investigador o que se passou com Cristóvão Colombo: pensa-se ter descoberto o caminho para as Índias quando, de fato, mal se tangenciou um continente inexplorado, cujo perfil ainda está por ser definido. À vastidão da empresa se somam os equívocos que cercam o objeto em pauta. Ainda aqui uma comparação com Colombo é elucidativa, porque a literatura infantil, como o Novo Mundo no século XV, está envolvida por uma capa protetora de enganos e preconceitos que, ao mesmo tempo, a diminuem intelectualmente e reprimem uma averiguação que ponha em evidência sua validade estética ou suas fraquezas ideológicas.

Os estudos a seguir procuram ocupar esse território tornado vago talvez pela negligência, descaso ou comprometimento com estes prejuízos por parte da Teoria Literária. Tendo procedência diversificada, eles não objetivam atingir a globalidade do terreno que se oferece, talvez por não procurarem colonizá-lo definitivamente. Por isso, nas primeiras partes, tratam de questões gerais; mas, quando se voltam à análise individual de obras, dizem respeito principalmente a narrativas, tendo ficado ausente a produção em verso. Da mesma maneira, provindo a reflexão da óptica literária, foram deixados de lado os problemas relativos à ilustração, embora se discuta a razão da primazia atribuída ao texto. Enfim, esperou-se atingir determinadas metas, balizadas por algumas teses diretoras:

a) A literatura infantil é um campo a ser privilegiado pela Teoria Literária, devido à rica contribuição que proporciona a qualquer indagação bem intencionada sobre a natureza do literário.

b) Aquele gênero pode ser questionado por tal ciência, porque é da qualidade estética das obras produzidas que retira sua importância e valor.

c) É o enfoque estético que preside a abordagem do livro para crianças, porque somente a realização literariamente válida rompe os compromissos (que estão na gênese histórica da produção infantil) com a pedagogia e, sobretudo, com a doutrinação.

d) O fato de a literatura infantil não ser subsidiária da escola e do ensino não quer dizer que, como medida de precaução, ela deva ser afastada da sala de aula. Como agente de conhecimento porque propicia o questionamento dos valores em circulação na sociedade, seu emprego em aula ou em qualquer outro cenário desencadeia o alargamento dos horizontes cognitivos do leitor, o que justifica e demanda seu consumo escolar.

e) Porque este tipo de arte com a palavra divide-se entre uma aptidão poética e um apelo externo do adulto à doutrinação da criança, patenteia-se sua inscrição social, que não deixa de ser também a de toda a literatura. Nessa medida, valida-se a reflexão crítica sobre sua natureza, pois representa, de um lado, a interrogação sobre os vínculos ideológicos da manifestação artística (no que colabora com a Teoria Literária) e, de outro, o desvelamento de um dos processos – espelhando, portanto, os demais – de dominação da infância (no que colabora com sua emancipação).

O desdobramento dessas questões unifica os ensaios, que visam encetar um diálogo com uma modalidade de produção artística por muito tempo votada ao silêncio, devido à mordaça que a sociedade, regida pela norma adulta, usou para abafar a voz da criança e de todos objetos culturais relativos ao seu mundo e às suas formas de expressão.

A CRIANÇA, O LIVRO E A ESCOLA

Escrita é autoestranhamento. Sua superação,
a leitura do texto, é, pois, a mais alta
tarefa de compreensão.

Hans-Georg Gadamer

Os primeiros livros para crianças foram produzidos ao final do século XVII e durante o século XVIII. Antes disso, não se escrevia para elas, porque não existia a "infância". Hoje, a afirmação pode surpreender; todavia, a concepção de uma faixa etária diferenciada, com interesses próprios e necessitando de uma formação específica, só aconteceu em meio à Idade Moderna. A mudança se deveu a outro acontecimento da época: a emergência de uma nova noção de família, centrada não mais em amplas relações de parentesco, mas num núcleo unicelular, preocupado em manter sua privacidade (impedindo a intervenção dos parentes em seus negócios internos) e estimular o afeto entre seus membros.

Antes da constituição desse modelo familiar burguês, inexistia uma consideração especial para com a infância. Essa faixa etária não era percebida como um tempo diferente, nem o mundo da criança como um espaço separado. Pequenos e grandes compartilhavam dos mesmos eventos, porém nenhum laço amoroso especial os aproximava. A nova valorização da infância gerou maior união familiar, mas igualmente meios de controle do desenvolvimento intelectual da criança e manipulação de suas emoções. Literatura infantil e escola, inventada a primeira e reformada a segunda, são convocadas para cumprir essa missão.

A aproximação entre a instituição e o gênero literário não é fortuita. Sintoma disso é que os primeiros textos para crianças são escritos por pedagogos e professoras, com marcante intuito educativo. E, até hoje, a literatura infantil permanece como uma colônia da pedagogia, o que lhe causa grandes prejuízos: não é aceita como arte, por ter uma finalidade pragmática; e a presença do objetivo didático faz com que ela participe de uma atividade comprometida com a dominação da criança.

Esses fatos tornam problemáticas as relações entre a literatura e o ensino. De um lado, o vínculo de ordem prática prejudica a recepção das obras; o jovem pode não querer ser instruído por meio da arte literária; e a crítica desprestigia globalmente a produção destinada aos pequenos, antecipando a intenção pedagógica, sem avaliar os casos específicos. De outro, a sala de aula é um espaço privilegiado para o desenvolvimento do gosto pela leitura, assim como um campo importante para o intercâmbio da cultura literária, não podendo ser ignorada, muito menos desmentida sua utilidade. Revela-se imprescindível e vital um redimensionamento de tais relações, de modo que eventualmente transforme a literatura infantil no ponto de partida para um novo e saudável diálogo entre o livro e seu destinatário mirim.

LITERATURA INFANTIL E ESCOLA

Foram as modificações acontecidas na Idade Moderna e solidificadas no século XVIII que propiciaram a ascensão de modalidades culturais como a escola com sua organização atual e o gênero literário dirigido ao jovem. Com a decadência do feudalismo, desagregam-se os laços de parentesco que respaldavam este sistema, baseado na centralização de um grupo de indivíduos ligados por elos de sangue, favores, dívidas ou compadrio, sob a égide de um senhor de terras de origem aristocrática. Da dissolução desta hierarquia nasceu e difundiu-se um conceito de estrutura unifamiliar privada, desvinculada de compromissos mais estreitos com o grupo social e dedicada à preservação dos filhos e do afeto interno, bem como de sua intimidade. Estimulada ideologicamente pelo Estado absolutista, depois pelo liberalismo burguês, que encontraram neste núcleo o suporte necessário para centralizar o poder político e contrabalançar a rivalidade da nobreza feudal, ela recebeu o aval político para irradiar seus principais valores: a primazia da vida doméstica, fundada no casamento e na educação dos herdeiros; a importância do afeto e da solidariedade de seus membros; a privacidade e o intimismo como condições de uma identidade familiar. A ficção do século XVIII está impregnada pela propagação desta visão de mundo: ao mesmo tempo que diagnostica a decadência da aristocracia tradicional (Choderlos de Laclos, Beaumarchais), qualifica positivamente aspectos relativos à vida burguesa ascendente (Henry Fielding, Diderot).

Edward Shorter descreve este fenômeno como "um surto de sentimento em três diferentes áreas (que) ajudaram a desalojar a família tradicional", quais sejam:

> *Namoro*. O amor romântico em vez das considerações materialistas na aproximação do casal. Propriedade e linhagem deram lugar à felicidade pessoal e ao autodesenvolvimento individual, como critérios para a escolha do parceiro matrimonial.
>
> *O relacionamento mãe-filho*. Embora um afeto residual entre mãe e filho – produto de uma ligação biológica – sempre tenha existido, houve uma mudança na propriedade que o infante veio a ocupar na hierarquia racional de valores da mãe. Enquanto, na sociedade tradicional, a mãe era preparada para colocar muitas considerações – a maioria delas relacionadas à luta desesperada pela existência – acima do bem-estar da criança, na sociedade moderna, o infante tornou-se o mais importante; o amor maternal providencia para que seu bem-estar esteja acima de qualquer outra coisa.
>
> *A linha fronteiriça entre a família e a comunidade circundante*. [...] Os laços com o mundo exterior foram enfraquecidos, e os laços unindo membros da família entre si foram reforçados. Um escudo de privacidade foi erigido para proteger

a intimidade do *foyer* da intrusão estranha. E a família nuclear moderna nasceu no abrigo da domesticidade.[1]

A valorização da infância enquanto faixa etária diferenciada é um dos baluartes deste modelo doméstico. Particulariza-se, primeiramente, a criança como um tipo de indivíduo que merece consideração especial, convertendo-a no eixo com base no qual se organiza a família, cuja responsabilidade maior é permitir que os filhos atinjam a idade adulta de maneira saudável (evitando-se sua morte precoce) e madura (providenciando-se sua formação intelectual). Inéditas na época, tais iniciativas acabaram por se transformar no cotidiano da classe média, razão do convívio harmônico entre pais e filhos e, enfim, fator indispensável para a manutenção de um estilo doméstico de vida.

Em segundo lugar, a infância como uma certa etapa etária imobilizada num conceito demarcado veio a ser idealizada. Tratados de pedagogia foram escritos para assegurar sua singularidade, e o recurso à fragilidade biológica do infante o fundamento da diferença em relação ao período adulto. Assim, um fator de ordem fisiológica e transitória determina uma teoria sobre a dependência da criança, o que legitima o estreito vínculo dessa aos mais velhos. Enquanto isto, sua falta de experiência existencial converte-se no sintoma de uma inocência natural que tanto se deve preservar idealmente, sobretudo em ensaios teóricos de cunho científico, como destruir aos poucos, por meio da ação pedagógica predatória, que justifica a necessidade de preparar os pequenos para os duros embates com a realidade.

A infância corporifica, a partir de então, dois sonhos do adulto. Primeiramente, encarna o ideal da permanência do primitivo, pois a criança é o bom selvagem, cuja naturalidade é preciso conservar enquanto o ser humano atra-

---

[1] SHORTER, Edward. *The making of the modern family*. Glasgow: Fontana-Collins, 1979. p. 14-15.

vessa o período infantil. A consequência é sua marginalização em relação ao setor da produção, porque exerce uma atividade inútil do ponto de vista econômico (não traz dinheiro para dentro de casa) e, até mesmo, contraproducente (apenas consome). Em segundo lugar, possibilita a expansão do desejo de superioridade por parte do adulto, que mantém sobre os pequenos um jugo inquestionável, que cresce à medida que esses são isolados do processo de produção. Enfim, esse afastamento se legítima pela alegação a noções previamente estabelecidas, relativas à índole frágil e dependente da criança, desmentindo-se o fato de que esta foi tornada incapacitada para a ação devido às circunstâncias ideológicas com que a infância é manipulada.

O círculo se fecha: postula-se a fragilidade natural da criança de acordo com sua situação biológica em formação; em razão disto, é distanciada dos meios produtivos, o que determina sua dependência, acentuada pelo fato de que não vem a ser dotada de um conhecimento pragmático que a ajude a transmutar em trabalho suas habilidades. E esse isolamento é coroado por uma total marginalização, no momento em que se torna condição de permanência da naturalidade infantil e de sua inocência original a ignorância dos fatores que poderiam torná-la socialmente produtiva e, portanto, emancipada.

É, pois, a natureza o âmbito preferencial da criança; não apenas seu hábitat mais adequado, como aquele que abriga o modo mesmo como a infância é concebida. O *Émile*, de Jean-Jacques Rosseau, sintetiza este funcionamento, porque, para preservar a pureza infantil, o autor sugere que seu educando seja afastado da sociedade pelo maior tempo possível. Nessa medida, tal faixa etária corporifica o não contaminado da natureza, com o qual se identifica; e, para conservar esta ingenuidade primeira, ou, pelo menos, fazê-la mais duradoura, é necessário intensificar sua improdutividade social.

Nada mais contraditório que essa concepção de infância, que o adulto elaborou depois de abandonar tal período. Depurada por um idealismo que ignora as circunstâncias presentes da vida infantil, seu caráter utópico foi apregoado e difundido pelos poetas românticos, que a conceberam como o período por excelência da vida, visto que, pela mesma razão, patentearam tanto a impossibilidade de recuperá-la, quanto a irreversibilidade do tempo.[2] Enquanto isso, como a criança verdadeira era ilhada, porque tornada alheia aos meios de produção, e comprimida pelos mais velhos, que assim asseguravam seu prestígio e dominação, foi elaborada uma série de atributos, os quais revestiram a qualificação dos pequenos e reproduziram ideologicamente sua diminuição social: a menoridade, a fragilidade física e moral, a imaturidade intelectual e afetiva. É o que leva todo menino, que vivencia diariamente a inferioridade, a querer suplantar esta fase, e todo adulto a almejar sua recuperação, após fazê-la passar pelo filtro da idealização. Concomitantemente, como descreve Bernard Charlot, a criança é conduzida a identificar-se com essa imagem projetada pelo adulto:

> Se a imagem da criança é contraditória, é precisamente porque o adulto e a sociedade nela projetam, ao mesmo tempo, suas aspirações e repulsas. A imagem da criança é, assim, o reflexo do que o adulto e a sociedade pensam de si mesmos. Mas este reflexo não é ilusão; tende, ao contrário, a tornar-se realidade. Com efeito, a representação da criança assim elaborada transforma-se, pouco a pouco, em realidade da criança. Esta dirige certas exigências ao adulto e à sociedade, em função de suas necessidades essenciais. O adulto e a sociedade respondem de certa maneira a essas exigências: valorizam-nas, aceitam-nas, recusam-nas e as condenam. Assim, reenviam à criança uma imagem de si mesma, do que ela é ou do que deve ser. A criança define-se assim, ela própria, com referência ao que o adulto e

---

[2] A poesia romântica brasileira ressente-se desta temática, que aparece, por exemplo, nos conhecidos versos de Casimiro de Abreu, de "Meus oito anos".

a sociedade esperam dela. [...] A criança é, assim, o reflexo do que o adulto e a sociedade querem que ela seja e temem que ela se torne, isto é, do que o adulto e a sociedade querem, eles próprios, ser e temem tornar-se.[3]

As instituições encarregadas do atendimento aos jovens projetam e propagam esta imagem da infância. A escola tem, neste processo, uma atuação preponderante, que cabe especificar. Como assume um duplo papel – o de introduzir a criança na vida adulta, mas, ao mesmo tempo, o de protegê-la contra as agressões do mundo exterior –, ela se identifica com as contradições antes expostas, refletindo-as de modo visível. Em primeiro lugar, acentua a divisão entre o indivíduo e a sociedade, ao retirar o aluno da família e da coletividade, encerrando-o numa sala de aula em que tudo contraria a experiência que até então tivera. Em vez de uma hierarquia social, vive uma comunidade em que todos são igualados na impotência: perante a autoridade do mestre e, mais adiante, da própria instituição educacional, todos estão despojados de qualquer poder. Em vez de um convívio social múltiplo, com pessoas de variada procedência, reúne um grupo homogeneizado porque compartilha a mesma idade; e impede que se organize uma vida comunitária, já que todos são obrigados a ficar de costas uns para os outros, de frente apenas para um alvo investido de autoridade – o professor.

O sistema de clausura coroa o processo: a escola fecha suas portas para o mundo exterior e, se o regime de internatos entrou em franca decadência, isto não significa que seu modo de pensar a realidade tenha sido suplantado. O prédio do colégio permanece como um espaço separado

---

[3] CHARLOT, Bernard. *A mistificação pedagógica*. Rio de Janeiro: Zahar, 1979. p. 108-109.

da coletividade e, muitas vezes, fechado ou adverso a seus interesses.[4]

As relações da escola com a vida são, portanto, de contrariedade: ela nega o social, para introduzir, em seu lugar, o normativo. Inverte o processo verdadeiro com que o indivíduo vivencia o mundo, de modo que não são discutidos, nem questionados, os conflitos que persistem no plano coletivo; por sua vez, o espaço que se abre é ocupado pelas normas e pelos valores da classe dominante, transmitidos ao estudante. Em outras palavras, é por omitir o social que a escola pode-se converter num dos veículos mais bem-sucedidos da educação burguesa; pois, quando desta ocorrência, torna-se possível a manifestação dos ideais que regem a conduta da camada no poder, evitando-se o eventual questionamento que revelaria sua face mais autêntica. Nesse momento, a educação perde sua inocência, e a escola, sua neutralidade, comportando-se como uma das instituições encarregadas da conquista de todo jovem para a ideologia que a sustenta, por ser a que suporta o funcionamento do Estado e da sociedade.

Não por acaso foi a burguesia ascendente dos séculos XVIII e XIX a patrocinadora da expansão e aperfeiçoamento do sistema escolar. Tanto é responsável por sua estruturação claustral, como pela elaboração do conjunto de ideias que justifica a validade da educação e suas principais concepções e atividades – a pedagogia. Com isso, solidifica o processo desencadeado pela valorização da infância e difusão de seu conceito moderno, assim como acentua o caráter diferenciado dela, em sua dependência e fragilidade, o que assegura a posterior necessidade de proteção. Enfim,

---

[4] Cf. a propósito da história da escola as seguintes obras: ARIÉS, Philippe. *História social da criança e da família*. Rio de Janeiro: Zahar, 1978. CHARLOT, Bernard. *A mistificação pedagógica*. Rio de Janeiro: Zahar, 1979. COSTA, Jurandir Freire. *Ordem médica e norma familiar*. Rio de Janeiro: Graal, 1979.

sonegando o direito de expressão aos menores, capacita-se a transmissão do conhecimento e seus meios de manifestação segundo a óptica adulta. Por isso, pode postular como imprescindível a posse de um tipo de saber que a criança não tem, o que, mais uma vez, garante-lhe a razão e o poder. Desarmada, a criança não reage; e sua impassibilidade é tomada como sinal de aceitação da engrenagem.

Por todos estes aspectos, a escola participa do processo de manipulação da criança, conduzindo-a ao respeito da norma vigente, que é também a da classe dominante, a burguesia, cuja emergência, como se viu, desencadeou os fatos até aqui descritos. A literatura infantil, por sua vez, é outro dos instrumentos que têm servido à multiplicação da norma em vigor. Transmitindo, em geral, um ensinamento conforme a visão adulta de mundo, ela se compromete com padrões que estão em desacordo com os interesses do jovem. Contudo, pode substituir o adulto, até com maior eficiência, quando o leitor não está em aula ou mantém-se desatento às ordens dos mais velhos. Ocupa, pois, a lacuna surgida nas ocasiões em que os maiores não estão autorizados a interferir, o que acontece no momento em que os meninos apelam à fantasia e ao lazer.

Nessa medida, também a obra literária pode reproduzir o mundo adulto: seja pela atuação de um narrador que bloqueia ou censura a ação de suas personagens infantis; seja pela veiculação de conceitos e padrões comportamentais que estejam em consonância com os valores sociais prediletos; seja pela utilização de uma norma linguística ainda não atingida por seu leitor, devido à falta de experiência mais complexa na manipulação com a linguagem. Assim, os fatores estruturais de um texto de ficção – narrador, visão de mundo, linguagem – podem-se converter no meio por intermédio do qual o adulto intervém na realidade imaginária, usando-a para incutir sua ideologia.

Essa situação bastante comum, se examinada a produção especialmente destinada aos garotos, comprova a falta de inocência do gênero. Muitas vezes procurando incorporar a ingenuidade atribuída às crianças, na verdade o disfarce só intensifica o compromisso com uma concepção equivocada e degradante de infância. A máscara cai quando se percebe a intenção moralizante; e o texto se revela um manual de instruções, tomando o lugar da emissão adulta, mas não ocultando o sentido pedagógico.

O problema pode-se agravar quando o livro é introduzido na escola. Porque, nesse caso, as forças se conjugam no projeto de doutrinar os meninos ou então seduzi-los com a imagem que a sociedade quer que assumam – a de seres enfraquecidos e dependentes, cuja alternativa encontra-se na adoção dos valores vigentes, todos solidários ao adulto. Isso é, a saída acaba sendo o reforço da dependência, porque aceitar as normas impostas significa corroborar o modelo dentro do qual a criança é manipulada.

A oposição a esse estado pode-se revelar igualmente problemática. Propor a abolição da literatura na escola ou mesmo a abolição da escola representa tão somente abandonar a criança à sua própria sorte, após tê-la feito adotar a imagem de sua impotência e incapacidade. Em outras palavras, trata-se de doar-lhe um poder sem instrumentalizá-la para seu uso; e, com isso, reforçar o conceito de seu despreparo e inabilitação. Além disso, enquanto instituições, a escola e a literatura podem provar sua utilidade quando se tornarem o espaço para a criança refletir sobre sua condição pessoal. Pois, de um modo ou outro, escola e literatura infantil têm sido o que restou para a infância, após o êxito do processo de ilhamento antes descrito. E, se sua dominação procede do gesto soberano do adulto, os fatores de sua emancipação podem derivar de uma nova aliança entre estes dois sujeitos. Gesto de rebeldia que inclui o professor, sua validade provirá do fato de que incorre igualmente na liberação do adulto, comprometido com um processo de dominação que o coloca como ser também passivo, porque jogado num sistema sobre o qual não exerce o controle dos aparelhos vinculados ao poder.

A FORMAÇÃO DO LEITOR

Preservar as relações entre a literatura e a escola, ou o uso do livro em sala de aula, decorre de ambas compartilharem um aspecto em comum: a natureza formativa. De fato, tanto a obra de ficção como a instituição do ensino estão voltadas à formação do indivíduo ao qual se dirigem. Embora se trate de produções oriundas de necessidades sociais que explicam e legitimam seu funcionamento, sua atuação sobre o recebedor é sempre ativa e dinâmica, de modo que este não permanece indiferente a seus efeitos. Que essa é a meta da educação é fartamente conhecido, enfatizando-se em tal caso sua finalidade conformadora a padrões de existência e pensamento em vigor.

Como procede a literatura? Ela sintetiza, por meio dos recursos da ficção, uma realidade, que tem amplos pontos de contato com o que o leitor vive cotidianamente. Assim, por mais exacerbada que seja a fantasia do escritor ou mais distanciadas e diferentes as circunstâncias de espaço e tempo dentro das quais uma obra foi concebida, o sintoma de sua sobrevivência é o fato de que ela continua a se comunicar com seu destinatário atual, porque ainda fala de seu mundo, com suas dificuldades e soluções, ajudando-o, pois, a conhecê-lo melhor.

Também a escola tem uma finalidade sintetizadora, transformando a realidade viva nas distintas disciplinas ou áreas de conhecimento apresentadas ao estudante. O peculiar, neste caso, é que, durante o processo de síntese, ocorrem inversões que maculam seu objetivo cognitivo. Assim, interrompem-se ou atenuam-se os vínculos com a vida atual e é intensificado o enclausuramento da criança, porque, convertida em aluno, ela se isola ainda mais da sociedade e se introduz num meio sobre o qual igualmente não exerce nenhum poder. Dessa maneira, embora compartilhem uma função, literatura e escola não se identificam, se bem que este tenha sido o pretexto para justificar o uso da obra de arte ficcional em sala de aula com intuito unicamente pedagógico; aproxima, porém, os dois setores. E, se isso já representou a sujeição da arte ao ensino, pode-se investigar as possibilidades que oferece o oposto deste modelo, no qual a didática se submete às virtualidades cognitivas do texto literário. Noutra formulação, é o último que poderá romper as barreiras entre a escola e a coletividade, reintroduzindo o estudante no presente e fazendo que ele exerça um papel ativo no processo de transferência.

Tal decisão por uma mudança de rumos implica algumas opções por parte do professor, delimitadas estas, de um lado, pela escolha do texto e, de outro, pela adequação deste último ao leitor. Dessa maneira, as fronteiras se estendem da valorização da obra literária à relevância dada ao procedimento da leitura.

A seleção dos textos advém da aplicação de critérios de discriminação. O professor que se vale do livro para a veiculação de regras gramaticais ou normas de obediência e bom comportamento oscilará da obra escrita de acordo com um padrão culto, mas adulto, àquela criação que tem índole edificante. Todavia, é necessário que o valor por excelência a guiar esta seleção se relacione à qualidade estética. Porque a literatura infantil atinge o estatuto de arte literária e se distancia de sua origem comprometida com a pedagogia, quando apresenta textos de valor artístico a seus pequenos leitores; e não é porque estes ainda não alcançaram o *status* de adultos que merecem uma produção literária menor.

Assim, os critérios que permitem o discernimento entre o bom e o mau texto para crianças não destoam daqueles que distinguem a qualidade de qualquer outra modalidade de criação literária. Seu aspecto inovador merece destaque, na medida em que é o ponto de partida para a revelação de uma visão original da realidade, atraindo seu beneficiário para o mundo com o qual convivia diariamente, mas que desconhecia. Nesse sentido, o índice de renovação de uma obra ficcional está na razão direta de sua oferta de conhecimento de uma circunstância da qual, de algum modo, o leitor faz parte.

Da coincidência entre o mundo representado no texto e o contexto do qual participa seu destinatário emerge a relação entre a obra e o leitor. Pois, quanto mais este demanda uma consciência do real e um posicionamento perante ele, tanto maior é o subsídio que o livro de ficção tem a lhe oferecer, se for capaz de sintetizar, de modo virtual, o todo da sociedade. A criança é um indivíduo que se ressente dessa abertura de horizontes, consequência da situação claustral a que foi lançada.

Em vista disso, a grande carência dela é o conhecimento de si mesma e do ambiente no qual vive, que é primordialmente o da família, depois o espaço circundante e, por fim, a história e a vida social. O que a ficção lhe outorga é uma visão de mundo que ocupa as lacunas resultantes de sua restrita experiência existencial, por meio de sua linguagem simbólica. Logo, não se trata de privilegiar um gênero ou uma espécie em detrimento de outras, uma vez que os problemas peculiares necessitam ser examinados à luz dos resultados alcançados por escritor; e sim de admitir que, seja pelo conto de fadas, pela reapropriação de mitos, fábulas e lendas folclóricas, ou pelo relato de aventuras, o leitor reconhece o contorno no qual está inserido e com o qual compartilha lucros e perdas.

O convívio com o texto, o que implica alargamento de horizontes, se o último preencher o requisito relativo à qualidade literária, dimensiona sua adequação ao leitor. Portanto, não se trata de dar relevância a obras que justifiquem a condição da criança em sua marginalidade ou compensem sua inferioridade social pela elevação moral ou caráter exemplar do herói mirim. Pois aquelas, se se afastam do modelo edificante que dá prioridade à emissão adulta, igualmente se integram a um protótipo pedagógico, uma vez que, de algum modo, uma lição é dirigida a seu destinatário. Com efeito, a adequação se situa num nível superior: diz respeito ao grau de abertura para a realidade vivenciada pelo recebedor do texto, seja ela de natureza íntima ou social.

Supondo esse processo um intercâmbio cognitivo entre o texto e o leitor, verifica-se que está implicado aí o fenômeno da leitura enquanto tal. Esta não representa a absorção de uma certa mensagem, mas antes uma convivência particular com o mundo criado pelo imaginário. A obra de arte literária não se reduz a determinado conteúdo reificado, mas depende da assimilação individual da realidade que recria. Sem ser compreendida na sua totalidade, ela não é autenticamente lida, do que advêm algumas consequências:

– o professor que se utiliza do livro em sala de aula não pode ser igualmente um redutor, transformando o sentido do texto num número limitado de observações tidas como corretas (procedimento que encontra seu limiar nas fichas de leitura, cujas respostas devem ser uniformizadas, a fim de que possam passar pelo crivo do certo e do errado);

– ao professor cabe o desencadear das múltiplas visões que cada criação literária sugere, enfatizando as variadas interpretações pessoais, porque decorrem da compreensão que o leitor alcançou do objeto artístico, em razão de sua percepção singular do universo representado.

A atividade com a literatura infantil – e, por extensão, com todo o tipo de obra de arte ficcional – desemboca num exercício de hermenêutica, uma vez que é mister dar relevância ao processo de compreensão, complementar à recepção, na medida em que não apenas evidencia a captação de um sentido, mas as relações que existem entre essa significação e a situação atual e histórica do leitor.

Portanto, não é atribuição do professor apenas ensinar a criança a ler corretamente; se está a seu alcance a concretização e expansão da alfabetização, isto é, o domínio dos códigos que permitem a mecânica da leitura, é ainda tarefa sua o emergir do deciframento e compreensão do texto, pelo estímulo à verbalização da leitura procedida, auxiliando o aluno na percepção dos temas e seres humanos que afloram em meio à trama ficcional.

É a partir daí que se pode falar de leitor crítico. A denominação, quando aplicada à criança, parece exorbitante. Priva-se a criança de uma interação com o meio social; e, posteriormente, ela é considerada incapaz de assumir uma postura inquiridora. Todavia, se o livro fornece condições para essa compreensão – de seu mundo interior, num primeiro momento, como propõe Bruno Bettelheim;[5] do real circundante, transcendendo o âmbito familiar –, ele também proporciona a seu destinatário um lastro com base no qual se funda uma concepção autônoma e, portanto, crítica da vida exterior.

A literatura infantil, nessa medida, é levada a realizar sua função formadora, que não se confunde com uma missão pedagógica. Com efeito, ela dá conta de uma tarefa a que está voltada toda a cultura – a de "conhecimento do mundo e do ser", como sugere Antonio Candido,[6] o que representa um acesso à circunstância individual por intermédio da realidade criada pela fantasia do escritor. E vai mais além – propicia os elementos para uma emancipação pessoal, o que é a finalidade implícita do próprio saber.[7] Integrando-se a esse projeto liberador, a escola rompe suas

---

[5] Cf. BETTELHEIM, Bruno. *A psicanálise dos contos de fadas*. Rio de Janeiro: Paz e Terra, 1978.

[6] Cf. CANDIDO, Antonio. A literatura e a formação do homem. *Ciência e Cultura*, São Paulo, vol. 24, n. 9, p. 806, set. 1972.

[7] Sobre a função emancipadora do saber e da literatura, cf. JAUSS, Hans-Robert. *La literatura como provocación*. Barcelona: Península, 1976.

limitações, inerentes à situação com a qual se comprometeu em sua gênese. É essa possibilidade de superação de um estreitamento de origem o que a literatura infantil oferta à educação. Aproveitada na sala de aula em sua natureza ficcional, que aponta a um conhecimento de mundo, e não como súdita do ensino bem-comportado, ela se apresenta como o elemento propulsor que levará a escola à ruptura com a educação contraditória e tradicional.

A justificativa que legitima o uso do livro na escola nasce, pois, de um lado, da relação que estabelece com seu leitor, convertendo-o num ser crítico perante sua circunstância; e, de outro, do papel transformador que pode exercer dentro do ensino, trazendo-o para a realidade do estudante e não submetendo este último a um ambiente rarefeito do qual foi suprimida toda a referência concreta.

O ESTATUTO DA LITERATURA INFANTIL

Se não aceitamos presunçosamente a literatura infantil como, antes de tudo, um artifício seguro, saudável e antisséptico para a preservação da puerilidade, é porque seus apelos mais fundamentais são os apelos de toda a efetiva literatura – ela explora nosso anseio de novidade, assim como nossa insistência da realidade humana.

Edward W. Rosenheim, Jr.

Entre os gêneros literários existentes, um dos mais recentes é constituído pela literatura infantil, que apareceu durante o século XVIII, época em que as mudanças na estrutura da sociedade provocaram efeitos no âmbito artístico, mudanças que vigoram até os dias atuais. Entraram em decadência os gêneros clássicos, como a tragédia e a epopeia, substituídos pelo drama, o melodrama e o romance, formas voltadas à manifestação dos eventos da vida burguesa e cotidiana, que tomaram o lugar dos assuntos mitológicos e das personagens aristocráticas. Além disso, o progresso das técnicas de industrialização chegou à arte literária, facilitando a produção em série de obras e de materiais de fácil distribuição e consumo, fenômeno posteriormente designado como cultura de massa. Assinalada pela banalidade dos temas, a fixação dos estereótipos humanos e a veiculação de comportamentos exemplares, a literatura trivial revela como critério de elaboração a retomada dos mesmos artifícios composicionais até sua exaustão.

Nesse contexto, aparece a literatura infantil; seu nascimento, porém, tem características próprias, pois decorre da ascensão da família burguesa, do novo *status* concedido à infância na sociedade e da reorganização da escola. Consequentemente, vincula-se a aspectos particulares da estrutura social urbana de classe média, não requerendo necessariamente que o processo de industrialização tenha-se completado. Por sua vez, o aparecimento e a expansão da literatura infantil deveram-se antes de tudo à sua associação com a pedagogia, já que aquela foi acionada para converter-se em instrumento desta. Por tal razão, o novo gênero careceu de imediato de estatuto artístico, sendo-lhe negado a partir de então um reconhecimento de valor estético, vale dizer, a oportunidade de fazer parte do reduto seleto da literatura.

A degradação de origem motivou a identificação apressada da literatura infantil com a cultura de massa, com a qual compartilha a exclusão do mundo das artes. Todavia, um redimensionamento do problema se faz necessário, tendo como meta a verificação das propriedades do gênero, supondo-se, por um lado, o exame de suas relações com a pedagogia, a quem deve seu nascimento; e, por outro, a definição de sua dimensão estética, o que o aproxima da literatura e da arte.

LITERATURA INFANTIL E TRADIÇÃO PEDAGÓGICA

Para conceituar-se a literatura infantil, é preciso proceder a uma consideração de ordem histórica, uma vez que não apenas o gênero tem uma origem determinável cronologicamente, como também seu aparecimento decorreu de exigências próprias da época. Assim, há um vínculo estreito entre seu nascimento e um processo social que marca indelevelmente a civilização europeia moderna e, por extensão, ocidental. Trata-se da emergência da família burguesa, a que se associam, em decorrência, a formulação do conceito atual de infância, modificando o *status* da criança na sociedade e no âmbito doméstico, e o estabelecimento de aparelhos ideológicos que visarão preservar a unidade do lar e, especialmente, o lugar do jovem no meio social. As ascensões respectivas de uma instituição como a escola, de práticas políticas, como a obrigatoriedade do ensino e a filantropia, e de novos campos epistemológicos, como a pedagogia e a psicologia, não apenas inter-relacionadas, mas uma consequência do novo posto que a família, e respectivamente a criança, adquire na sociedade. É no interior dessa moldura que eclode a literatura infantil.

HISTÓRIA DA FAMÍLIA

A estrutura designada como família moderna é um acontecimento do Século das Luzes. Diferentes historiadores[1] coincidem na afirmação de que foi ao redor de 1750 que se assistiu ao término de um processo iniciado no final da Idade Média, com a decadência das linhagens e a desvalorização dos laços de parentesco, e culminou com a conformação de uma modalidade familiar unicelular, amante da privacidade e voltada à preservação das ligações afetivas entre pais e filhos.

O sistema de linhagens e clientela predominou na Europa durante a Idade Média, vinculado ao modelo feudal. Centralizado na preservação de amplas relações de parentesco, vigora sempre que se tem como meta a manutenção da propriedade e a transmissão da herança. Supõe, pois, a supremacia de uma classe aristocrática, proprietária de terras, que amplia sua dominação pela expansão dos vínculos

---

[1] Relativamente à história da família moderna e seus antecedentes, cf. os seguintes autores: ARIÈS, Philippe. *História social da criança e da família*. Rio de Janeiro: Zahar, 1979; DONZELOT, Jacques. *The policing of families*. New York: Pantheon Books, 1979; POSTER, Mark. *Teoria crítica da família*. Rio de Janeiro: Zahar, 1979; RICHTER, Dieter. Til Eulenspiegel – der asoziale Held und die Erzieher. *Kindermedien. Asthetik und Kommunikation*. Berlin: Auk Verlag, n. 27, abr. 1977; SHORTER, Edward. *The making of the modern family*. Glasgow: Fontana/Collins, 1979; STONE, Lawrence. *The family, sex and marriage in England 1500-1800*. London: Pelican Books, 1979.

familiares. O casamento é um de seus principais instrumentos, de modo que dele se excluem os laços afetivos, devendo atender, antes de tudo, às prerrogativas do grupo.[2] Por isso, inexiste a noção de privacidade ou vontade individual, já que o chefe da família centraliza o todo e defende seus interesses, assim como está ausente uma solidariedade especial entre os cônjuges ou as gerações.

Stone descreve a situação das crianças nessa época: não recebiam qualquer atenção particular, nem gozavam de um *status* diferenciado, verificando-se ainda altas taxas de mortalidade infantil, quando do parto ou em tenra idade. Participavam de modo igualitário da vida adulta, conforme assinala Dieter Richter:

> Na sociedade antiga, não havia a "infância": nenhum espaço separado do "mundo adulto". As crianças trabalhavam e viviam junto com os adultos, testemunhavam os processos naturais da existência (nascimento, doença, morte), participavam junto deles da vida pública (política), nas festas, guerras, audiências, execuções, etc., tendo assim seu lugar assegurado nas tradições culturais comuns: na narração de histórias, nos cantos, nos jogos.[3]

Estavam, porém, excluídas do processo decisório, tanto quanto os demais membros do clã. A respeito da existência cotidiana em tal período, complementa Stone:

> As crianças eram frequentemente negligenciadas, tratadas brutalmente e até mortas; muitos adultos tratavam-se mutuamente com suspeita e hostilidade; o afeto era baixo e raro. [...] A falta de uma única figura materna nos primeiros dois anos de vida, a perda constante de parentes próximos, irmãos, pais, amas e amigos devido a mortes prematuras, o aprisionamento físico do infante em fraldas apertadas nos primeiros meses e a deliberada quebra da vontade infantil, tudo contribuiu para um "entorpeci-

---

[2] Cf. STONE, Lawrence. Op. cit., p. 69-76.

[3] RICHTER, Dieter. Op. cit., p. 36.

> mento psíquico", que criou muitos adultos, cujas respostas aos outros eram, no melhor dos casos, de indiferença calculada e, no pior, uma mistura de suspeita e hostilidade, tirania e submissão, alienação e violência.[4]

No século XVII acontecem mudanças sensíveis. A centralização do poder em torno de um governo absolutista virá acompanhada do enfraquecimento dos grupos de parentesco, vinculados às grandes propriedades e à aristocracia fundiária. O Estado moderno, no processo de abolição do poder feudal, encontra na família nuclear seu sustentáculo maior, cabendo-lhe então reforçar e favorecer sua situação e estrutura,[5] assim como sua universalidade. Vê-se, pois, que a mudança aponta para a aliança entre o poder político centralizador e a camada burguesa e capitalista, que se lança à expansão de sua ideologia familista, fundada no individualismo, na privacidade e na promoção do afeto: entre esposos, estimulando a instituição do casamento; e entre pais e filhos, por estar interessada na harmonia interior do núcleo familiar.

Stone identifica, no processo, dois momentos diferenciados: no século XVII, a organização é fortemente patriarcal e recebe grande influência e estímulo dos protestantes, já que os pastores entendiam a criança como um indivíduo a ser domado pela educação religiosa rígida, cabendo aos pais alcançar a sujeição da vontade infantil; no século XVIII, os pequenos e as mulheres gozam de maior liberdade, de modo que a família exibe a imagem de uma parceria interna, dominada pelo liberalismo e calor afetivo, e não pelo poder paterno e a obediência hierárquica. E, se no século XVII já se verifica um interesse especial pela criança, provocando a edição dos primeiros tratados de pedagogia, escritos pelos protestantes ingleses e franceses, o século

---

[4] STONE, Lawrence. Op. cit., p. 80.

[5] A propósito, v. também DONZELOT, Jacques. Op. cit., p. 50.

XVIII assiste à passagem completa da infância ao centro das considerações. Descrevendo os traços que caracterizam a família nesse período, comenta Stone:

> Um quarto sinal era a identificação das crianças como um grupo de *status* especial, distinto dos adultos, com suas instituições especiais próprias, como as escolas, e seus próprios circuitos de informação, dos quais os adultos tentaram excluir, de modo crescente, o conhecimento sobre o sexo e a morte.[6]

Jacques Donzelot verifica na França fenômeno similar, voltado à preservação das crianças. O movimento tem dupla finalidade: de um lado, valoriza a família burguesa; de outro, dirige-se às crianças pobres, cuja sobrevivência é considerada importante, ao significar a garantia de mão de obra futura. Por isso, o processo toma características próprias nas diferentes camadas sociais. No âmbito da família burguesa, trata-se de diminuir a importância concedida às amas de leite, responsáveis pela manutenção alimentar e educação dos infantes nos primeiros anos e causa do grande número de mortes precoces.[7] Desse modo, reforça-se o papel da esposa dentro do núcleo familiar, a fim de fazê-la assumir sua função materna. Resulta daí a ascensão da mulher no ambiente doméstico, o que lhe permite assegurar o controle do universo caseiro e adquirir um novo lugar social, abrandando o patriarcalismo do século anterior e avançando ideologicamente, na medida em que o Estado não poderá mais prescindir de sua colaboração para a estabilidade e funcionamento da engrenagem social.

---

[6] STONE, Lawrence. Op. cit., p. 149-150.

[7] Cf. a propósito DONZELOT, Jacques. Op. cit., p. 16: "Preservar as crianças passou a significar, por um lado, dar um fim nos malfeitos dos servos domésticos, criar novas condições de educação capazes de ser a contrapartida dos efeitos penosos sofridos pelas crianças confiadas a eles, e, por outro, atrair à educação de seus filhos todos aqueles indivíduos que tendiam a abandoná-los aos cuidados do Estado ou ao negócio homicida das amas."

Entre as camadas inferiores, a evolução é mais lenta, uma vez que se tratava de incorporar o trabalhador à concepção de família. Habituados a abandonar as crianças aos cuidados de instituições de caridade mantidas pelo poder público ou religioso, o casamento não lhes parecia como uma necessidade, menos ainda a educação dos filhos, em geral ilegítimos. A adoção dessas crianças aumenta o custo social da pobreza; além disso, as altas taxas de mortalidade infantil, por falta de atenção e cuidados na época conveniente, privam as indústrias nascentes de mão de obra barata e disponível. Daí a modificação: cabia estimular o matrimônio e a manutenção das crianças. Mais uma vez essa meta foi atingida por meio da aliança com as mulheres, ao se valorizar a circunstância de, numa família ordeira e ascendente, ainda que de procedência proletária, a esposa não deveria trabalhar, e sim voltar-se às suas funções, agora promovidas como naturais, quais sejam, os encargos domésticos e o cuidado das crianças.

Stone igualmente salienta a ascensão do modelo familiar orientado para os filhos, o que acontece sobretudo na burguesia, ocasionando uma nova qualificação da figura materna enquanto personagem dominante da estrutura doméstica:

> Não há dúvidas de que, entre 1660 e 1800, aconteceram mudanças significativas na prática de criação das crianças, particularmente entre a alta burguesia e os profissionais liberais. Os cueiros apertados deram lugar a roupas soltas, amas de leite pagas à amamentação materna, a dominação da vontade pela força à permissividade, a distância formal à empatia, assim que a mãe se tornou a figura dominante na vida das crianças.[8]

Todavia, no reduto da classe proletária, o processo não se dá com a mesma uniformidade. Donzelot assinala os diferentes esforços, ao longo do século XIX, não apenas para consolidar a vida doméstica do operariado, com base

---

[8] STONE, Lawrence. Op. cit., p. 284.

no mesmo centro, a mulher, como para garantir a educação das crianças. Entretanto, não apenas estas continuaram a ser abandonadas precocemente, quanto, no caso de sua conservação na família, obrigadas a trabalhar cedo, tratadas com violência ou então negligenciadas.[9] Nessa medida, embora o modelo familiar burguês pretendesse se universalizar por seus traços característicos – a saber: a valorização da unidade interna e dos laços de afeto, elevando-se a importância da mulher e da criança; o estímulo à privacidade, diminuindo tanto a ingerência dos criados na vida familiar, quanto a influência dos parentes –, ele não impede a manutenção da divisão social e a permanência de um tratamento diferenciado dos cidadãos, de acordo com o interesse do Estado moderno.

O êxito no processo de privatização da família – maior na camada burguesa, menor entre os operários – gerou uma lacuna, referente à socialização da criança. Se a configuração da família burguesa leva à valorização dos filhos e à diferenciação da infância enquanto faixa etária e estrato social, há, concomitantemente, e por causa disto, um isolamento da criança, separando-a do mundo adulto e da realidade exterior. Nesta medida, a escola adquirirá nova significação, ao tornar-se o traço de união entre os meninos e o mundo, restabelecendo a unidade perdida. Philippe Ariès associa a esse fenômeno a ascensão da pedagogia e do ensino modernos, baseados nas classes de idade, homogêneas e encadeadas, visando inserir progressivamente os pequenos no mundo.[10] Contudo, também a instituição

---

[9] Cf. a propósito STONE, Lawrence. Op. cit., p. 294: "Entre a massa dos muito pobres, os testemunhos disponíveis sugerem que o comportamento comum de muitos pais em relação a seus filhos era frequentemente imprevisível e, muitas vezes, indiferente ou cruel."

[10] Cf. a propósito ARIÈS, Philippe. Op. cit., p. 232: "Como se a família moderna tivesse nascido ao mesmo tempo que a escola, ou, ao menos, que o hábito geral de educar as crianças na escola."

escolar apresentou respostas particularizadas nas diferentes camadas, o que correspondeu, no plano da educação, à prática social no plano comunitário. Desse modo, cabe averiguar as circunstâncias peculiares do meio ambiente e vivência dos jovens de proveniência, respectivamente, burguesa e proletária.

A criança burguesa encontra-se plenamente integrada no contexto familiar, solidificado para resguardá-la. O agente dessa proteção é a personagem materna, o que dá um embasamento histórico e social ao complexo do Édipo, conforme Stone e Poster.[11] A mulher aumenta sua participação na organização doméstica, embora, como no caso da criança, o acréscimo de importância no círculo privado da família corresponda à exclusão da esfera pública, acessível a todos durante o período de predomínio da estrutura de linhagens e clientela. Mulher e criança, mãe e filhos, crescem em suas funções internas, uma vez que se isolam do âmbito exterior, e também este retraimento dá novas dimensões ao trauma edipiano num meio burguês.

A situação entre os proletários não é idêntica. A preservação da criança visa à formação e manutenção de um contingente obreiro disponível; e lega-se essa tarefa à família, dentro da qual a responsabilidade maior cabe às mães. Contudo, devido à necessidade premente de aumento da renda familiar, os menores são jogados pelos pais no mundo com muito maior rapidez e violência. Por sua vez, os adultos não cumprem seu papel integralmente, o que justifica a reação dos poderes público e privado, intensificando sua

---

[11] Cf. POSTER, Mark. Op. cit., p. 42: "O segredo do Édipo está aqui localizado; não nos belos mitos da Grécia antiga, mas no prosaico lar burguês"; e STONE, Lawrence. Op. cit., p. 115: "Atualmente está bastante claro que quatro dos principais traumas (oral, anal, genital e edipiano) que Freud pesquisou entre seus pacientes e que supôs como universais, dependem de experiências peculiares à sociedade de classe média do período europeu vitoriano, de onde vinham seus pacientes."

interferência no quadro doméstico operário. Assim, aparecem as organizações filantrópicas que, dirigidas às camadas populares, procuram sanar as dificuldades internas da família (menos as de ordem financeira), intervindo na sua intimidade. E a frequência à escola recebe novo estímulo, o que torna esta instituição acessível e aberta a todos os componentes do corpo social.

Se a escola tem essa procedência liberal, procurando universalizar o conhecimento, a ênfase na frequência do aluno às aulas, no entanto, terá um papel ideológico bastante compreensível, relacionado à sua função de instrumento saneador dos contrastes sociais. Seu funcionamento caracteriza-se por inverter simetricamente a atividade materna, na medida em que lhe cabe reintroduzir a criança na realidade externa. Contudo, mesmo assim, exerce uma tarefa feminina, uma vez que atua como mediadora entre o mundo interior do pequeno e a sociedade. Por sua vez, esta última só aparece ao estudante de modo indireto, via livros didáticos, laboratórios, conferências, mapas, dando-se ainda a convivência social apenas entre os garotos, e não com os adultos. É, pois, outra modalidade de clausura, que também reforça o estado pueril e retira a criança do conjunto da sociedade.

Mais uma vez cabe distinguir o que diz respeito à criança proletária. Ela tem maior vivência mundana, de modo que a escola não pode pretender concorrer com o aprendizado que vem das ruas. Ainda assim, a educação formal é imprescindível, uma vez que possibilita a separação entre o jovem e o adulto, tarefa que a família, e sobretudo a mulher, preenche de modo imperfeito. E é quando a escola quer dissolver os laços que prendem os meninos à vida social, como no caso dos trabalhadores, que se mostram claramente seus objetivos isolacionistas. Pois foi por causa dos alunos oriundos da classe operária que o ensino tornou-se obrigatório na Europa, a partir do século XIX. Assim, foi retirado do meio proletário um contingente significativo de mão de obra, com o fito de proteger a infância e evitar o aviltamento dos salários. Ao mesmo tempo, porém, essa providência provocou a diminuição da renda familiar, o que repercutiu necessariamente no aumento da produtividade do adulto.

Donzelot descreve o fenômeno, com base no fato sabido de que, no século XIX, eram as crianças que recebiam melhores oportunidades de emprego. Mão de obra mais barata, geravam um lucro imediato; porém, menos habilitados, apresentavam produtividade menor. Além disso, empregando os filhos, os adultos passavam o dia em bares, participando de movimentos políticos ou provocando violência. Havia urgência em ocupá-los exaustivamente, assim como em capacitar os operários do futuro. Fazendo obrigatório o ensino, as crianças eram retiradas do mercado; porém, era preciso estimular os pais a colocarem os filhos no colégio. Eis o procedimento adotado pelo Estado:

> Somente a educação gratuita não era a solução. Dever-se-ia então decretar um sistema simples de educação compulsória? Não, tal proposta chocava seriamente com a lógica liberal. Então por que não inverter a tática? Valemo-nos da isenção de pagamento para atrair famílias que estavam imbricadas em blocos de dependência e da obrigatoriedade contra aqueles que viviam marginalmente nos dúbios vestígios das antigas redes de solidariedade.[12]

É nessa medida que se desvelam o sentido enclausurador do ensino e as condições em que se dá a formação da criança no meio familiar atual, seja rico ou pobre.

A FUNÇÃO DA LITERATURA INFANTIL

A psicologia infantil responsabiliza-se pela teoria da formação da criança; sua aplicação no campo didático

---

[12] DONZELOT, Jacques. Op. cit., p. 76-77.

relaciona-se à pedagogia. E repercute ainda no terreno artístico, quando do aparecimento da literatura infantil. Assim, a emergência deste gênero explica-se historicamente, na medida em que aconteceu em estreita ligação com um contexto social delimitado pela presença da família nuclear doméstica e particularização da condição pueril enquanto faixa etária e estado existencial. Todavia, tornou-se um dos instrumentos pelo qual a pedagogia almejou atingir seus objetivos.[13] A. C. Baumgärtner denuncia a prioridade das motivações educativas sobre as literárias, quando da gênese, durante o século XVIII, da produção de textos jovens:

> O que chamamos de literatura infantil "específica", isto é, os textos escritos exclusivamente para crianças, tem sua origem primariamente não em motivos literários, mas pedagógicos.[14]

Em decorrência disto, afirma ainda o autor que "a literatura infantil é primeiramente um problema pedagógico, e não literário".[15] Por tal razão, se decorre de uma situação histórica particular, vinculada à origem da família burguesa e da infância como "classe" especial, participa desta circunstância não apenas porque provê textos a esta nova faixa, mas porque colabora em sua dominação, ao aliar-se ao ensino e transformar-se em seu instrumento.

---

[13] V. a propósito a relação estabelecida por BAACKE, Dieter. Der junge Leser in Sozialisationsprozess. Zur Konstituition von Realität. In: *Modern realistic stories for children and young people.* 16th IBBY-Congress. Germany: Arbeitskreis fur Jugendliteratur e. V., 1978. p. 49: "A existência de um mercado próprio do livro infantil e juvenil é uma invenção da pedagogia (cujo primeiro ponto alto deu-se durante a Ilustração), e a pedagogia é uma invenção da sociedade burguesa."

[14] BAUMGÄRTNER, Alfred Clemens. Realistische Literatur fur Kinder. Möglichkeiten und Grenze. In: *Modern realistic stories for children and young poaple.* 16th IBBY-Congress. Germany: Arbeitskreis fur Jugend-literatur e. V., 1978. p. 121.

[15] Id. ib., p. 124.

Cabe, todavia, colocar a questão não apenas de acordo com uma sociologia da infância, mas tomar como base a vivência que esta tem no mundo, em nível propriamente existencial. K. W. Peukert, estabelecendo um fundamento antropológico para o livro infantil, o que pode se dar somente se estiver centrado na criança, caracteriza o mundo interior desta como um "espaço vazio"; e explica: "'o espaço vazio' não é vazio porque as crianças ainda não viveram, mas porque não podem ordenar as vivências".[16] Assim, se a criança – devido não só à sua circunstância social, mas também por razões existenciais – se vê privada ainda de um meio interior para a experimentação do mundo, ela necessitará de um suporte fora de si que lhe sirva de auxiliar. É esse lugar que a literatura infantil preenche de modo particular, porque, ao contrário da pedagogia ou dos ensinamentos escolares, ela lida com dois elementos adequados para a conquista da compreensão do real:

– uma história, que apresenta, de maneira sistemática, as relações presentes na realidade, que a criança não pode perceber por conta própria:

> A criança entende a história sem estes pressupostos [do adulto]. Sua compreensão da realidade, existência e vida não – ainda não – se baseia em processos linguísticos de comunicação, mas nas relações sociais primárias e nas próprias atividades. As histórias infantis desempenham, pois, uma primeira forma de comunicação sistemática das relações da realidade, que aparecem à criança numa objetividade corrente. Ou, por outra: as histórias infantis são uma espécie de teoria especulativa além da atividade imediata social e individual da criança.[17]

– a linguagem, que é o mediador entre a criança e o mundo, de modo que, propiciando, pela leitura, um alarga-

---

[16] PEUKERT, Kurt Werner. Zur Anthropologie des Kinderbuches. In: HAAS, Gerhard (Org). *Kinder- und Jugendliteratur*. Zur Typologie und Funktion einer literarischen Gattung. Stuttgart: Reklam, 1976. p. 95.

[17] Id. ib., p. 82.

mento do domínio linguístico, a literatura preencherá uma função de conhecimento: "o ler relaciona-se com o desenvolvimento linguístico da criança, com a formação da compreensão do fictício, com a função específica da fantasia infantil, com a credulidade na história e a aquisição de saber".[18]

Em vista dessas peculiaridades estruturais, a literatura infantil contraria o caráter pedagógico antes referido, compreensível com o exame da perspectiva da criança e o significado que o gênero pode ter para ela. Sua atuação dá-se dentro de uma faixa de conhecimento, não porque transmite informações e ensinamentos morais, mas porque pode outorgar ao leitor a possibilidade de desdobramento de suas capacidades intelectuais. O saber adquirido dá-se, assim, pelo domínio da realidade empírica, isto é, aquela que lhe é negada em sua atividade escolar ou doméstica, desencadeando um "alargamento da dimensão de compreensão"[19] e a aquisição de linguagem, produto da recepção da história enquanto audição ou leitura e de sua decodificação.

Em razão disso, explicita-se a duplicidade própria da natureza da literatura infantil: de um lado, percebida da óptica do adulto, desvela-se sua participação no processo de dominação do jovem, assumindo um caráter pedagógico, por transmitir normas e envolver-se com sua formação moral; de outro, quando se compromete com o interesse da criança, transforma-se num meio de acesso ao real, na medida em que facilita a ordenação de experiências existenciais, pelo conhecimento de histórias, e a expansão de seu domínio linguístico. Essa duplicidade assinala sua limitação, gerando o desprestígio perante o público adulto, já que este não admite o legado doutrinário que lhe transfere.

---

[18] Id. ib., p. 79.
[19] Id. ib., p. 84.

Vinculado o descrédito ao compromisso com o ensino e com o processo de dominação da infância, a literatura infantil, ainda assim, tem o que oferecer à criança, desde que examinada em relação à sua construção propriamente literária. É quando se verificam os benefícios que a história e o discurso trazem para o leitor. Tal construção pode ser entendida ainda de acordo com outra peculiaridade artística do gênero: é o fato, assinalado por Peukert, de não conhecer fronteiras. Com efeito, o livro infantil desconhece um tema específico, não é determinado por uma forma (seja verso ou prosa, novela ou conto) e, ainda, escorrega livremente da realidade para o maravilhoso. Além disso, incorpora ao texto a ilustração e admite modalidades próprias, como o conto de fadas ou a história com animais.

Essa amplidão, simétrica e contrária à limitação antes mencionada, decorre da relação particular que estabelece com o leitor. Carecendo a criança de horizonte qualquer, que, no adulto, provém de sua vivência acumulada no tempo, ela é permeável a tudo; daí a maleabilidade das balizas oferecidas aos textos ditos infantis. Tal fato fornece a estes últimos uma grande margem de criatividade, que poderia ser capitalizada. Todavia, não é o que acontece, uma vez que, de modo geral, eles apenas se apropriam, do ponto de vista técnico e temático, dos resultados alcançados pela literatura para os adultos. Nessa medida, portanto, embora a literatura infantil tenha originado algumas espécies exclusivamente suas, como a história de animais, ou então adotado outras de modo irremediável, como o conto de fadas, ela não apresenta uma trajetória que faça frente à literatura, propondo técnicas e recursos próprios de expressão, preferindo acompanhar de longe o progresso da arte poética.

Com base nos aspectos apontados, examinam-se os problemas relativos ao realismo e à verossimilhança. O fato de oferecer um campo ilimitado de ação no âmbito narrativo parece privar a literatura infantil de verismo. Assim, a exigência de um realismo pode ser contraposta à inevitável presença da fantasia, incorporada às histórias para a infância desde suas origens.

A parceria com o fantástico remonta aos começos da produção orientada ao público infantil, quanto os primeiros escritores, como Charles Perrault, no século XVII, e os irmãos Grimm, no início do século XIX, adonaram-se dos contos de fadas. Esses relatos fundam-se preferencialmente numa ação de procedência mágica, resultante da presença de um auxiliar com propriedades extraordinárias que se põe a serviço do herói: uma fada, um duende, um animal encantado. Essa colaboração voluntária possibilita a superação, por parte da personagem central, do conflito que deflagrara o evento ficcional; e sua ajuda é imprescindível devido à condição sempre precária ou carente da figura principal.

Explicando a discrepância entre o estado de penúria econômica, afetiva ou intelectual do agente da narrativa – um soldado pobre, uma enteada rejeitada pela família, um filho mais moço e pouco inteligente – e a onipotência do auxiliar mágico, Dieter Richter e Johannes Merkel aludem à origem sociológica destes contos. Esses provinham das classes mais pobres e inferiorizadas da pirâmide social da Europa central: os camponeses e os artesãos urbanos, que se defrontavam com uma estratificação rígida e imutável, de modo que, embora revoltados, não podiam transformá-la.[20] Somente pela intervenção de uma força sobrenatural a situação poderia ser revertida – assim, o soldado destrona o rei, e a pobre enteada revela-se a preferida do príncipe. Contudo, esses heróis nada fizeram por seus próprios meios, tão somente aceitando de bom agrado a contribuição dos entes superiores.

---

[20] MERKEL, Johannes; RICHTER, Dieter. *Märchen, Phantasie und soziales Lernen*. Berlin: Basis Verlag, 1974.

A fantasia tem um nítido sentido compensatório, legítimo, segundo Richter e Merkel, caso se pense que decorre de uma situação de absoluta depauperação e impossibilidade de mudar o sistema. Por essa mesma razão, os contos de fadas revelaram-se bastante adequados ao novo público emergente. Em primeiro lugar, porque não se pode escamotear a circunstância de que a fantasia é um importante subsídio para a compreensão de mundo por parte da criança: ela ocupa as lacunas que o indivíduo necessariamente tem durante a infância, devido ao seu desconhecimento do real; e ajuda-o a ordenar suas novas experiências, frequentemente fornecidas pelos próprios livros.[21] No entanto, a fantasia pode tomar a configuração do sonho, enquanto um desejo insatisfeito que se realiza apenas de modo reparatório. É essa significação que o ente maravilhoso, presente no conto de fadas, pode corporificar: representará o adulto onipotente, aliado e bom, que soluciona o problema maior do herói, de modo que este se sujeita à dominação do outro, sem questionar de onde provém seu poder ou quem o delegou a ele. Na passagem do relato folclórico à literatura infantil, perdeu-se o conteúdo de rebeldia; mas permaneceu o elemento de natureza fantástica, com um conteúdo escapista e uma representação do estado de impotência do protagonista central e, por extensão, da criança.

Contudo, pelas razões assinaladas, a fantasia é componente indispensável do texto dirigido à infância; devido a este fato, somado ao seu comprometimento com o interesse adulto, ela parece banir dos livros o realismo. E este resultado pode ser mais uma comprovação do desprestígio da literatura infantil.

---

[21] V. a propósito PERKERT, Kurt Werner. Op. cit., p. 85: "Quanto menos as palavras são conhecidas, tanto mais fortemente a fantasia é pressionada a produzir, conceitualmente e de modo substitutivo, as relações de significação." Cf. igualmente BETTELHEIM, Bruno. *A psicanálise dos contos de fadas*. Rio de Janeiro: Paz e Terra, 1978.

A. C. Baumgärtner coloca o problema em outros termos: retomando uma tradição aristotélica, vincula-o primordialmente às exigências de verossimilhança, fundadas num desempenho possível do ser humano, traduzido pela ação da personagem.[22] Ser realista é, portanto, corresponder, no plano artístico, àquilo que é próprio ao humano no plano existencial. Nessa medida, uma história de aventuras ou um conto maravilhoso são válidos quando apresentam coerência interna (leis de possibilidade e necessidade) e coincidência com um conceito de humanidade (lei da verossimilhança externa).[23]

Todavia, essa exigência pode ser desobedecida, não devido à presença da fantasia, mas ao cumprimento das prerrogativas pedagógicas. Por causa delas, os livros são levados a embelezar o real e oferecer modelos perfeitos de comportamento, assim como a falsificar certas circunstâncias ou obscurecer outras. A deformação repercutirá na coerência interna da narrativa, mas não provirá da ocorrência de elementos de tipo maravilhoso, o que revela a índole pseudodicotômica da contraposição verismo × fantasia. Nessa medida, mesmo a denúncia da realidade, a que visa certo tipo de livro para jovens, pode ser tão falsa quanto o texto farto de intenções moralizantes, porque em ambos repousa a mesma meta pedagógica.[24]

---

[22] Cf. BAUMGÄRTNER, Alfred Clemens. Op. cit., p. 118.

[23] V. a propósito ARISTÓTELES. *Poética*. Porto Alegre: Globo, 1966. A respeito das leis de construção artística, cf. KITTO, H. D. F. *Poiesis*. Structure and thought. Berkeley and Los Angeles: University of California Press, 1966; FUHRMANN, Manfred. *Einfuhrung in die antike Dichtungstheorie*. Darmstadt: Wissenschaftliche Buchgesellschaft, 1973; LIMA, Luiz Costa. *Estruturalismo e teoria da literatura*. Petrópolis: Vozes, 1971.

[24] Cf. a respeito as observações de John Rowe Townsend: "Está extinto atualmente o espírito didático dos livros para crianças? Tendemos a falar e escrever como se estivesse. Ele é o contrário à nossa visão de relações felizes, relaxadas e mais ou menos igualitárias entre gerações, o que encaramos atualmente como ideais. Todavia, a tendência a instruir

O dilema realismo × fantasia só pode ser resolvido se posto em outros termos. Diz respeito antes ao choque entre os condicionamentos de que padece a literatura infantil por trilhar o caminho do didatismo e as possibilidades ilimitadas de criação, resultantes da natureza ainda moldável do leitor, o que pode repercutir em experimentalismo inovador ou expansão das técnicas literárias e das vias narrativas.

Deste modo, o conflito vivido pela literatura infantil é, em outras palavras, entre ser ou não ser literatura, o que não significa necessariamente uma diluição na generalidade da arte literária, devido à constituição específica de seu recebedor.

DA PRODUÇÃO À LEITURA

A descrição do conteúdo da literatura infantil mostra que seu dilema decorre da necessidade de preenchimento de uma missão não propriamente literária em sua origem e funcionamento, de que resultam questionamentos relativos à oposição entre fantasia e realismo ou à inexistência de uma preocupação experimental. Todavia, cabe assinalar que a compreensão do gênero, em geral, não se faz por este caminho. Pelo contrário, ela se vê classificada em analogia à tipificação das relações entre o adulto e a criança,

---

o jovem está profundamente inserida na natureza humana. E se alguém, observar a 'qualidade' dos livros infantis de hoje, e ainda mais o que está escrito sobre eles, é difícil evitar a conclusão de que o didatismo está ainda muito vivo e que, envolvendo as fraquezas intelectuais, estamos aptos a rejeitar o conceito ao aceitar a realidade. [...] Anos atrás, jogamos o velho didatismo (o moralismo desajeitado) pela janela; ele voltou pela porta, vestindo roupas modernas (valores inteligentes) e não conseguimos nem mesmo reconhecê-lo." (TOWNSEND, John Rowe. Didacticism in modern dress. In: EGOFF, Sheila; STUBBS, G. T.; ASHLEY, L. F. *Only connect*. Readings on children's literature. Toronto and New York: Oxford University Press, 1969, p. 33-34.)

sendo-lhe imputadas, por conseguinte, as qualidades atribuídas à infância em geral, quais sejam: a menoridade, a inferioridade e o estágio de "ainda não" literatura.

Tal qualificação deriva do desconhecimento dos fatores de produção, vinculados todos ao adulto, responsável por um circuito que se estende da criação das histórias à edição, distribuição e circulação, culminando com o consumo, controlado sobretudo por pais e professores. Em vista disso, a criança participa apenas colateralmente nesta sequência, o que assinala a assimetria congênita aos livros a ela destinados.[25] É o recurso à adaptação que indicará os meios de relativizar este fato; o autor adulto identifica a perspectiva de seu pequeno leitor e solidariza-se com ela:

> A particularidade mais geral e fundamental deste processo de comunicação é a desigualdade entre os comunicadores, estando de um lado o autor adulto e de outro o leitor infantil. Ela diz respeito à situação linguística, cognitiva, ao *status* social, para mencionar os pressupostos mais importantes da desigualdade. O emissor deve desejar conscientemente a demolição da distância preexistente, para avançar na direção do recebedor. Todos os meios empregados pelo autor para estabelecer uma comunicação com o leitor infantil podem ser resumidos sob a denominação de adaptação.[26]

Entretanto, é preciso reconhecer que permanece a unilateralidade do processo, tanto quanto a superioridade e presença maciça do adulto. Assim, se os fatores de meno-

---

[25] A propósito da assimetria, cf. LYPP, Maria. Asymetrische Kommunikation als Problem moderner Kinderliteratur. In: KAES, Anton; ZIMMERMANN, Bernhard (Org.). *Literatur fur Viele I.* Göttingen: Vandenhoeck und Ruprecht, 1975.

[26] LYPP, Maria. Op. cit., p. 165. Göte Klinberg caracteriza a adaptação descrevendo-a segundo quatro modelos: adaptação do assunto, da forma, do estilo e do meio. Cf. KLINBERG, Göte. *Kinder- und Jugendliteraturforschung.* Eine Einfuhrung. Köln-Wien-Graz: Böhlaus Wissenschaftliche Bibliothek, 1973.

ridade e inferioridade com que o gênero é aquilatado não são ocasionados pelos consumidores mirins, a tentativa de reproduzir a condição destes por parte do escritor, a fim de superar a assimetria mencionada, converte o texto numa impostura, que repercute no enfraquecimento da forma artística, justifica a acusação de simulacro ou pseudoliteratura e legitima o descrédito.

A desigualdade entre o emissor e o leitor interfere, pois, no processo de escrita, restringindo o campo de criação da obra. Mais uma vez transparece o dualismo da literatura infantil, evidenciado agora com base no exame de sua produção; visto o fenômeno do ângulo de sua recepção, novas características podem ser acrescidas a ele.

Que a literatura infantil não pode prescindir de um recebedor determinado, foi indicado anteriormente: não apenas a emergência da infância enquanto público diferenciado, carecendo de (in)formação, motivou o aparecimento do gênero em dada época, como este sempre pôde lhe fornecer um subsídio existencial e cognitivo inalcançável pela educação doméstica ou escolar. Essas duas qualificações têm, por sua vez, caráter contraditório, refletindo aspirações diversas, a do emissor adulto e a do beneficiário criança, reforçando a assimetria mencionada, gerando a adaptação e configurando, de novo, uma dualidade. De modo que, da perspectiva do destinatário, o que a literatura infantil tem a lhe proporcionar deve provir necessariamente de sua inclinação dual, a fim de não desmentir ou falsificar sua natureza.

Nessa medida, oscilando o texto entre a ajuda intelectual, produto de sua elaboração literária (história e discurso), e a formação pedagógica e moral – o que pode muito bem acontecer no interior de uma mesma narrativa –, ele exibe ao leitor a imagem de uma realidade concomitantemente solidária e inimiga, como é o próprio mundo adulto e suas instituições (escola, assistência médica etc.). Esse aspecto, por sua vez, pode ser configurador de insegurança, na medida em que ao recebedor caberá uma tomada de decisão diante de um objeto que não apresenta contornos definidos, nem objetivos explícitos.

Além disso, o texto tornar-se-á tanto mais inquietante, porque pode penetrar impunemente na privacidade e no mundo íntimo do leitor – setores que a escola, por exemplo, não atinge, ao se opor, até geograficamente, ao lar e, especialmente, ao refúgio último da criança, seu dormitório (*nursery*), espaço da leitura. Assim, é por intermédio da leitura, hábito vivido na solidão, que a subjetividade da criança é virtualmente invadida. Esse resultado pode ser igualmente obtido pelo brinquedo (produto cujo aparecimento se deu no século XVIII, decorrendo também da ascensão da infância) ou jogo, mas com uma diferença: estes últimos são ações oriundas da inventividade dos próprios participantes, o que nunca se passa com o livro, recebido pronto e acabado. Desse modo, se a obra literária, por um lado, pode oferecer um horizonte de criatividade e fantasia enquanto ficção, solidarizando-se com o mundo infantil, embora reforce a sua diferença, por outro, ela reproduz, por seu funcionamento, os confrontos entre a criança e a realidade adulta. E pode fazê-lo de maneira mais eficiente, porque atinge o âmago do universo infantil, alcançando uma intimidade nem sempre obtida pelos mais velhos; e vem a converter-se em hábito, o de leitura, uma das metas prioritárias do ensino e da arte literária, que precisa estimular intermitentemente seu próprio consumo.

O resultado derradeiro dessa operação de intercâmbio entre o texto e seu destinatário é a integração deste à cultura burguesa. Ter nascido contemporaneamente à família moderna de classe média; incentivar a especificidade da infância como faixa etária e condição humana; assumir um caráter pedagógico, ao transmitir valores e normas da sociedade que a gerou – todos estes aspectos, já mencionados, comprovam essa inserção. Contudo, há mais um fator caracteristicamente burguês que merece menção – a literatura infantil vincula seu aparecimento à emergência de um novo hábito, o de leitura, e existe para propagá-lo. E a leitura, como prática difundida em diferentes camadas sociais e faixas etárias, isto é, enquanto um procedimento de obtenção de informações cotidiano e acessível a todos, e não raro erudito, é uma conquista da sociedade burguesa do século XVIII. A expansão do mercado editorial, a ascensão do jornal como meio de comunicação, a ampliação da rede escolar, o crescimento das camadas alfabetizadas – todos estes são fenômenos que se passam durante o Iluminismo, sendo esta filosofia a sistematização e culminância teórica que justifica a práxis social, voltada à aceleração do processo civilizatório. O ler transformou-se em instrumento de ilustração e sinal de civilidade. É o que destaca Dieter Baacke: "a leitura representa originariamente a arte burguesa, que é um elemento da cultura burguesa", descrevendo a seguir os sinais característicos desta atitude:

> Na representação da vida burguesa, a leitura desempenha desde então um papel central, pois possui o já descrito momento civilizatório: distanciamento da ação, expansão do espaço intelectual, aprofundamento da sensibilidade, interiorização de opiniões e princípios morais. Nenhuma dúvida: há uma estreita relação entre o mundo social da vida burguesa e as formas da realidade descritas nos livros, assim como a pretensão colocada nestes últimos. Esta relação tornou-se historicamente estrutural, como mostrou Norbert Elias, e até hoje não foi suplantada. "Cultura", do modo como ela se impôs na Europa em todos os casos, é cultura burguesa; livros são primariamente comoção burguesa, e a leitura dos livros é primariamente expressão do nível cultural burguês.[27]

Por isso, cabia ser difundido o hábito de ler, o que, se pode ser compreendido como industrialização da cultura, significou igualmente socialização do conhecimento. Ao intervir diretamente no contexto infantil, tornando-se um hábito, o livro participa deste processo, trazendo seu bene-

---

[27] BAACKE, Dieter. Op. cit., p. 44.

ficiário para a realidade que o produziu – a dos adultos, com seus valores de consumo. De modo que a leitura, efeito da convivência com a leitura infantil da óptica do destinatário, incorpora a duplicidade que caracteriza este gênero; como propiciadora de conhecimento, compreensão da realidade empírica e até mesmo meio de experimentação desta última; é igualmente um recurso para a integração do leitor mirim à existência burguesa, marcada pela dicotomia entre o uso e a especulação, o setor do trabalho e a privacidade, a atividade comercial e o lazer, reforçando o individualismo e o isolamento, processos que a criança passa a vivenciar desde cedo.

A LITERATURA INFANTIL E O LEITOR BURGUÊS

Uma reflexão que procure abarcar a natureza peculiar da literatura infantil não pode evitar a verificação dos prismas diferentes e contraditórios que o gênero apresenta. Esse é um dos traços de sua relevância, não apenas porque se trata de uma espécie artística singular, enquanto tal merecendo reconhecimento teórico, mas também porque invoca a necessidade de uma ponderação sobre as relações que estabelece, de ordem social, com o meio de onde provém, e estética, com a definição de literatura.

Ao se particularizar seu conceito, mostra-se imprescindível o recurso à sua história, uma vez que as condições que decretaram seu nascimento se imprimem nos próprios textos, aparecendo por meio do didatismo, da presença de informações moralizantes e da veiculação de normas de percepção estética. Assim, acaba por legar um horizonte de expectativas – ético e/ou estético – a quem não o tinha. É este o limite externo do livro para jovens, que não se liberta de uma índole teleológica, originada no caráter pragmático e finalista da ideologia burguesa que patrocinou seu aparecimento. Assume então traços educacionais, fazendo-se útil à formação da criança e capturando-a efetivamente, ao transformar o gosto pela leitura numa disposição para o consumo e para a aquisição de normas.

Contudo, na mesma proporção em que se auto-impõe um alvo, a literatura infantil invoca um recebedor determinado, cabendo-lhe atender a seus interesses. Esses são, primordialmente, os de posicionamento diante do real, que se dá a ele de modo fragmentário e descontínuo. É decisivo para a sobrevivência do gênero que responda a essas solicitações por intermédio de suas singularidades literárias: é a linguagem narrativa que acaba por organizar a percepção infantil do mundo, às vezes negado à criança pela escola ou pela família. Por isso, o texto precisa ser coerente e verossímil, sem o que não coincidirá com as expectativas do leitor. Cabe-lhe, pois, ser literatura, e não mais pedagogia. Nessa medida, pode-se dizer que o sucesso do livro dependerá de sua orientação para o recebedor, desde que em termos literários e artísticos, jamais educativos, comprovando a correspondência simétrica nos dois movimentos que conduzem à justificativa da existência do livro para a infância: da produção para a recepção, da pedagogia para a literatura. Desse modo, define-se uma metodologia de trabalho: somente uma centralização no destinatário criança, quando da compreensão da natureza do sujeito da recepção e de sua relação com a literatura ou quando do exame dos textos, legitima uma abordagem da literatura infantil.

A questão da autonomia de tal modalidade literária decorre dessa conclusão, já que sua especificidade vincula-se ao relacionamento peculiar mantido com o leitor, que não pode ser produzido nem por outra atividade, nem pela arte da palavra em outras faixas etárias. Entretanto, igualmente esse fato restabelece sua unidade com a literatura, matriz de onde se destacam os livros infantis, uma vez que a qualidade de ordem literária não somente é uma necessidade intrínseca, enquanto autoafirmação do gênero, como também a condição de enfraquecimento da inclinação pedagógica. Como aquela somente provirá de uma realização mimética e verossímil, de acordo com o postulado da teoria da literatura, torna-se evidente que tais criações apenas podem ser consideradas boas, se verdadeiras em sua representação.

A condição de verdade mais uma vez permite a retomada do didatismo. Segundo Baumgärtner, a inclinação pedagógica motiva o mascaramento da verdade; a teoria do ensino, conformista porque visa adequar o sujeito a uma sociedade que deve permanecer imutável, não pode questionar seu contorno social. Transferida ao texto infantil, ela impede qualquer representação verossímil, exagerando os traços de positividade do *status quo* ou os sinais de negatividade dos aspectos marginais que possam desestabilizar o todo circundante. Logo, não é o verismo da representação que pode suplantar esta dificuldade, se nele subsistir a intenção didática, mesmo que tenha em vista a denúncia social; ou seja, se nele vigorar a primazia da palavra adulta sobre o interesse do leitor. Por essa razão, a plena realização literária significa a superação do dilema realismo × fantasia, assim como da assimetria, proveniente da supremacia da produção adulta sobre a recepção infantil. O escritor precisa considerar a peculiaridade da criança e recorrer à adaptação; esta, porém, não pode gerar ingenuidade ou impostura, pois os valores exigidos dela são idênticos àqueles que contam para a avaliação do universo literário destinado aos adultos.

Todavia, no debate realismo × fantasia, uma outra acusação sempre pesa: a de que inexiste a representação dos problemas sociais e, sobretudo, das classes populares.[28] A

---

[28] Cf. por exemplo LEESON, Robert. *Children's books and class society*. Past and present. London: Writers and Readers Publishing Cooperative, 1976. p. 12: "Milhões de crianças da classe trabalhadora sabem, a partir da experiência pessoal, o que tal vida pode envolver. Mas, para os propósitos dos livros infantis, elas positivamente não existem." Ou: "A classe trabalhadora vista de dentro, a fim de dar às personagens a dignidade de uma existência integral, é uma das maiores raridades em livros infantis" (id. ib., p. 38).

validade desta incriminação revela mais uma vez a circunscrição ideológica da literatura infantil, decorrente do tratamento diversificado que a sociedade proporciona às crianças. Como se descreveu antes, embora o conceito de infância tenha uma aspiração totalitária por ser uma consequência, durante o século XVIII, da tomada do poder pela burguesia e, portanto, por sua cultura e ideologia centralizada na família, de fato há uma cisão profunda no que se refere ao tratamento dos jovens provenientes de classes diferentes. A criança burguesa deve ser preparada para assumir sua função dirigente, a criança pobre precisa ser amparada para converter-se em mão de obra. Em ambos os casos, a finalidade social é única, porém o treino recebido é personalizado: para liderar, o ser humano demanda unidade interior e saúde mental, enquanto do proletário, para cumprir sua missão, são exigidas confiança na classe dominante e saúde física. Portanto, o recebedor que solicita o tipo de suporte que o livro pode oferecer provém da burguesia, o que exclui o interesse e a necessidade de representação dos males sociais. Circunscreve-se o último limite de literatura infantil, gerado, como os outros, por sua condição histórica e função social, fatores que, se estão na raiz de seu nascimento, formam igualmente as barreiras de que se deve libertar, para atingir a plena realização artística e a autonomia.

Reproduz, assim, de certo modo, a situação de seu leitor, não por incorporar as qualificações de menoridade ou inferioridade, mas porque, para ambos, urge o rompimento do círculo de giz da dominação burguesa que, por intermédio da ideologia da superioridade adulta, decreta sua submissão e manipula seu descrédito. Desvenda-se a utopia do gênero, que assinala, por outras vias, seu fundamento humanista e a eventualidade de uma índole progressista, voltada à abertura de novos horizontes, dentro dos quais ela pode mesmo desaparecer, assim como a condição de puerilidade atribuída a seu recebedor.

A LITERATURA INFANTIL ENTRE O ADULTO E A CRIANÇA

A TRAIÇÃO AO LEITOR

Uma reflexão sobre a natureza da literatura infantil não pode vir separada da consideração sobre o estatuto de sua teoria. A configuração desta última em livros científicos data de época recente, mas, se se tomar em conta sobretudo o modo como o texto infantil é recebido no lar e nas escolas, isto é, uma certa prática, podemos estabelecer seus principais critérios. Nessa medida, verifica-se que a concepção que cerca a literatura infantil é, como sugere a expressão de Maria Lypp, "adultocêntrica".[1] Em outras palavras, embora seja consumida por crianças, a reflexão sobre o produto oferecido a elas provém do adulto, que a analisa, em primeiro lugar, de acordo com seus interesses e que, além disto, a descreve em comparação com o tipo de arte posta à disposição dele, qual seja, a literatura propriamente dita, sem adjetivos.

Consequentemente, embora o produtor do livro infantil seja o próprio adulto, o objeto produzido é visto, analisado e classificado em analogia a seu consumidor, o leitor mirim. Conforme Maria Lypp adverte, temos que "a menoridade do recebedor é transferida ao produto literário".[2]

---

[1] LYPP, Maria. Einleitung. In: LYPP, Maria (Org.). *Literatur fur Kinder*. Gottingen: Vandenhoeck und Ruprecht, 1977. p. 8.

[2] Id., p. 8.

Transformada num gênero menor, ela absorve ainda o caráter provisório da própria infância, tornando-se uma espécie de "ainda não literatura".[3]

A natureza ideológica dessa tomada de posição evidencia-se de imediato, pois privilegia uma modalidade de literatura em detrimento da criação para crianças, mimetizando a primazia atribuída à idade adulta em comparação com o período infantil. Todavia, se a literatura correspondente a essa faixa etária tem sua importância estética diminuída, é-lhe atribuída uma função social que a torna imprescindível e que até mesmo decretou seu aparecimento: cabe-lhe um papel preparatório, isto é, tem uma missão formadora que pode ser examinada em dois sentidos:

a) incute na criança certos valores, sejam eles de natureza social ou ética (ou ainda, ambas), não cabendo neste momento investigar se estes valores são convenientes à sociedade (vale dizer, conformativos) ou ao desenvolvimento intelectual e psíquico do leitor (isto é, se colaboram na emergência de uma visão de mundo autônoma e inquiridora);

b) propicia a adoção de hábitos, que podem ser de dois tipos:

– de consumo, incluindo-se aqui a frequência ao texto literário, ao estimular a aquisição de livros com certa constância e a leitura permanente;

– de comportamentos socialmente preferidos, visto que igualmente neste caso estes modelos atuacionais correspondem a variadas possibilidades, que se estendem desde a adoção de boas maneiras até o estímulo a uma atividade de questionamento das bases de organização da sociedade.

Em todos esses casos, atribui-se uma tarefa educativa à literatura infantil, complementar à atividade pedagógica

---

[3] Id., p. 8.

exercida no lar e/ou na escola, o que garante sua necessidade e importância no seio da vida social. Por essa mesma razão, o não preenchimento de algumas dessas funções ou de todas elas – seja porque a criança não lê, preferindo brincar, ver televisão etc., seja porque certos textos são considerados nefastos – pode desencadear a polêmica e a busca de uma correção de rumos, visando à reintrodução do hábito da leitura, pesquisando-se novas linguagens, reavaliando-se o poder de alcance do gênero artístico. De qualquer modo, nesta segunda acepção da literatura infantil, salienta-se a contrapartida da proposição anteriormente fixada: apesar de ter caráter provisório e ser um tipo de produção menor, espelhando a condição de seu leitor e beneficiário, o texto para crianças pode atuar sobre ela, refletindo neste caso a perspectiva do adulto, mesmo quando este tem em mente o interesse (atual e/ou futuro) do recebedor. Nesse sentido, sendo "adultocêntrica", a teoria da literatura infantil evidencia a contradição que esta situação lhe transmite: visando manter os privilégios do adulto, a produção para crianças tem seu valor diminuído; porém, por esta mesma razão, tudo o que se espera dela é o que o adulto ali deposita, isto é, seus valores e hábitos sociais. Nessa medida, ela manifesta antes de tudo os interesses dos mais velhos, e não os do universo infantil, de modo que, se há alguma analogia a estabelecer, ela está entre o gênero literário dirigido à infância e a organização da sociedade em sua totalidade, conforme os maiores a concebem.

Por tudo isso, a produção de uma teoria da literatura infantil deve evitar a circunscrição à óptica adulta, na qual toda a primazia lhe é concedida, pois é o sujeito da produção, do consumo (uma vez que são principalmente os pais que compram os livros, os professores que recomendam as leituras etc.) e da recepção de seus próprios textos. Ou melhor, cabe o exercício de uma reflexão que verifique os efeitos de tal participação e mostre a posição ocupada pela criança dentro deste processo particular de circulação de ideologias, porque é ela que dá o nome de que é tão somente o beneficiário e objeto de manipulação.

Recebendo tal designação de seu destinatário, a literatura infantil debate-se de imediato com duas dificuldades: a primeira delas diz respeito à transitoriedade do leitor. Abrangendo tudo o que é produzido para pessoas de até mais ou menos doze anos, a literatura infantil deve ir se modificando à medida que evolui a criança, até perdê-la por completo, fenômeno paralelamente vivenciado pelo próprio leitor, que vai aos poucos se afastando do produto a ele oferecido. Essa índole passageira do gênero determina sua temporalidade, o que se relaciona, de um lado, com a condição de seu recebedor e, de outro, com a própria natureza histórica da faixa etária a que se destina. A compreensão da infância como um período existencial diferenciado e passível de uma abordagem pela pedagogia provém de época recente, mais precisamente da Idade Moderna.[4] Essa temporalidade particulariza-se do seguinte modo:

a) a literatura infantil apresenta um tipo de evolução histórica determinada pelas modificações que sofreram as concepções, respectivamente, da infância e do tratamento (pedagógico) desta faixa da existência;

b) outro tipo de modificações decorre das transformações vividas pela literatura e que repercutem nas obras infantis, em termos de novas técnicas, temas e meios materiais originais de transmissão artística;

c) o que lhe é mais particular diz respeito à evolução interna que o gênero sofre, na medida em que deve acompanhar as mutações etárias por que passa seu recebedor.

---

[4] Cf. a propósito HASS, Gerhard. Einleitung. In: HASS, Gerhard (Org.) *Kinder-und Jugendliteratur.* Zur Typologie und Funktion einer literarischen Gattung. Stuttgart: Reklam, 1976. e RICHTER, Dieter. Til Eulenspiegel – der asoziale Held und die Erzieher. *Kindermedien. Ästhettik und Komunikation.* Berlin: Ästhetik und Kommunikation Verlag, n. 27, abril de 1977.

Em razão de tais fatores, a condição passageira do leitor é absorvida pela literatura, que se torna instável, necessita adequar-se aos interesses diferenciados de produção que a cercam e, ainda, deve estar conforme as mudanças de toda a arte arte literária.

A segunda dificuldade advém de sua unidirecionalidade, uma vez que é produzida apenas do adulto para a criança, e não o contrário.

Em virtude disto, Maria Lipp[5] assinala que há uma assimetria entre o emissor e o recebedor na origem dessa modalidade de obra, o que somente pode ser superado pela introdução do conceito de adaptação. Nessa medida, como afirma Göte Klinberg,[6] a adaptação não diz respeito unicamente aos textos clássicos que foram reelaborados para as crianças sobretudo no século XVIII, mas pertence à índole das criações a elas destinadas. Por sua vez, esse fator unidirecional é o que determina a preocupação com a transmissão de normas, que tanto podem ser de tipo social, como as anteriormente descritas, quanto estéticas. Portanto, é nesse momento da leitura que se assiste à gênese do "horizonte de expectativas"[7] do leitor, de modo que se explica a dupla inquietação que assola os educadores que lidam com arte literária para crianças: de um lado, com a formação dos hábitos de leitura; de outro, com o consumo de textos de reconhecido valor estético, esperando construir, com estes recursos, um dique de proteção contra as histórias em quadrinhos ou outros produtos da indústria cultural.

---

[5] Cf. LYPP, Maria. Asymetrische Kommunikation als Problem moderner Kinderliteratur. In. KAES, Anton; ZIMMERMANN, Bernhard (Org.). *Literatur fur Viele I*. Göttingen: Vandenhoeck und Ruprecht, 1975.

[6] C. KLINBERG, Göte. *Kinder- und Jugendliteraturforschung*. Eine Einfuhrung. Köln-Wien-Graz: Böhlaus Wisseschaftliche Bibliothek, 1973.

[7] O termo é empregado no sentido que lhe dá Hans-Robert Jauss.

Cf.: JAUSS, Hans-Robert. La historia de la literatura como provocación de la ciencia literaria. In: ___. *La literatura como provocación*. Barcelona: Península, 1976.

Enfim, este caráter unidirecional reproduz, no plano etário, um conflito de tipo social: a oposição adulto × criança correspondente aos modelos opressor × oprimido e produtor × consumidor, cabendo à criança o papel passivo, situação que somente abandona na adolescência, quando não mais absorve literatura infantil. Este fato dá a tal dicotomia uma natureza de certo modo estática e, por esta mesma causa, contínua e permanente. É a necessidade de adaptação que pode levar o adulto a superar tal posição de superioridade, porém igualmente essa é uma decisão unilateral, do que resultam, outra vez, os dois aspectos ressaltados anteriormente:

a) a literatura infantil orbita na esfera do adulto, como, antes de mais nada, se encarada do ângulo da produção, um problema dele, e não da criança;

b) esta, a rigor a principal interessada, localiza-se fora de tal processo decisório, o que reforça a situação pouco atuante que previamente ocupa em outros setores da vida social (família, escola etc.).

É desse fato que advém a questão mais problemática envolvendo a modalidade literária aqui discutida: é que, provindo de uma tomada de decisão da qual a criança não participa, mas cujos efeitos percebe, a literatura infantil pode ser considerada uma espécie de traição, uma vez que lida com as emoções e o prazer dos leitores, para dirigi-los a uma realidade que, por melhor e mais adequada que seja, eles em princípio não escolheram. Nessa medida, a literatura infantil somente poderá alcançar sua verdadeira dimensão artística e estética pela superação dos fatores que intervieram em sua geração.

Se a propalada universalidade da arte provém dessa circunstância, ao que aponta a hermenêutica dos fenômenos literários,[8] ao ver no simbólico aquilo que pertence ao

---

[8] Cf. a propósito da hermêutica do texto GADAMER, Hans-Georg. *Verdad y método*. Salamanca: Sígueme, 1977. E RICOEUR, Paul. *Interpretação e ideologias*. Rio de Janeiro: Francisco Alves, 1977.

humano, e não à singularidade individual, na literatura infantil, esta inclinação ao universal se torna a condição de sua sobrevivência e autonomia. Por isso, o valor literário tão somente emergirá da renúncia ao normativo, o que implica abandono do ponto de vista adulto, ampliação do horizonte temático de representação e incorporação de uma linguagem renovadora, atenta ao discurso da vanguarda, às modalidades da paródia, enfim, acompanhando a evolução da arte literária, que se dá sempre como ruptura e não como obediência.

Se a literatura infantil revive os mesmos problemas de produção que envolvem toda criação poética, encará-la como uma área menor da teoria e da prática artística significa ignorar seus reais problemas em favor de um propósito elitista, que tem como meta garantir a primazia da condição adulta. E significa ignorar também os reais problemas da própria teoria literária, na medida em que a literatura infantil oferece um campo de trabalho igualmente válido, ao reproduzir, nas obras transmitidas às crianças, as particularidades da criação artística, que visa à interpretação da existência que conduza o ser humano a uma compreensão mais ampla e eficaz de seu universo, qualquer que seja sua idade ou situação intelectual, emotiva e social. Assim, é somente quando a meta se torna o exercício com a palavra, que o texto para a infância atinge seu sentido autêntico, qual seja, como escreve Kurt Werner Peukert, "a expansão da dimensão de entendimento da criança"[9] e, por extensão, de todo e qualquer indivíduo.

---

[9] PEUKERT, Kurt Werner. Zur Anthropologie des Kindersbuches. In: HAAS, Gerhard (Org.). *Kinder- und Jugendliteratur.* Zur Typologie und Funktion einer literarischen Gattung. Stuttgart: Reklam, 1976.

A PERSPECTIVA DO LEITOR

A função social da literatura só se faz manifesta na sua genuína possibilidade ali onde a experiência literária do leitor entra no horizonte de expectativas da prática de sua vida, pré-forma sua compreensão de mundo e com isto repercute também em suas formas de comportamento social.

Hans-Robert Jauss

Raramente algum tipo de arte se define pela modalidade de consumo que recebe. No âmbito da literatura, o elemento de ordem diferencial é atribuído à linguagem (poesia × prosa), aos modos de representação (narração × diálogo) ou ainda ao assunto: relato policial, romance de tese, tragédia. A originalidade dos textos para crianças advém do fato de que é a espécie de leitor que eles esperam atingir o que determina sua inclusão no gênero designado como literatura infantil. Assim, ela se originou do aparecimento deste público, vinculando sua história e transformações às mudanças por que passaram o tratamento e a compreensão da infância nos últimos 250 anos.

O crescimento e a diferenciação dos públicos leitores associam-se ao processo de industrialização da cultura que acontece a partir do século XVIII. Com o desenvolvimento dos meios de reprodução mecânica, o aumento dos grupos alfabetizados e a necessidade de estímulo ao consumo, as criações artísticas passíveis de multiplicação foram colocadas ao alcance da ascendente população urbana. Disso decorreu uma democratização do saber, mas igualmente uma cisão no interior das produções estéticas: de um lado, as obras que conservam os atributos de arte, sem se entregarem à sedução do consumo fácil; de outro, a chamada "cultura de massa", destinada às multidões, ao responder às suas demandas de estímulo à emoção e abandono da preocupação com a novidade formal ou o questionamento da existência. À primeira vista, a elevação quantitativa do público não determinou a melhora da qualidade, uma vez que o interesse em motivar a aquisição permanente ocasiona a pouca durabilidade do objeto; daí a transitoriedade atribuída à cultura massificada, de modo que os extremos representados por grande número de obras e pequeno valor acabaram por se tocar, causa do desprestígio dessas produções.

A literatura infantil integra-se a este movimento, na medida em que foi a qualificação de determinado tipo de consumidor que justificou seu aparecimento. Contudo, a isto se limita a aproximação, uma vez que o objetivo primordial do gênero não é estimular o consumo, nem sua ascensão decorreu do processo de industrialização que a Europa sofreu ao longo do século XIX.[10] Além disto, ao contrário da literatura trivial, que se dirige a qualquer público e não impõe restrições desta natureza, os textos para crianças designam antecipadamente seus recebedores, não necessitando lançar-se à caça de mercado, nem lhes caben-

---

[10] A literatura infantil originou-se da valorização que recebeu a infância a partir do século XVIII e da necessidade de educá-la, o que, por sua vez, decorreu da centralização da sociedade em torno da família burguesa. Este processo, conforme expõe Lawrence Stone (*The family, sex and marriage in England 1500-1800*. London: Pelican Books, 1979), não foi uma consequência tão somente da ascensão do capitalismo e da industrialização. Da mesma maneira, não é unicamente o recurso ao econômico que explica a origem do gênero para crianças.

do competir com outros produtos que se valem igualmente da palavra. Tendo de antemão assegurado seu leitor e devendo-lhe sua existência, as histórias infantis obrigam necessariamente à consideração teórica de sua relação com o destinatário.

Se à literatura infantil não cabe disputar uma fatia do mercado cultural (embora atualmente sofra a concorrência de outros meios de comunicação e informação), ela ainda justifica sua existência por ocupar uma função determinada na vida infantil: orientar sua formação. Assim, o mais importante não é estimular a aquisição de textos e impulsionar a indústria do livro (apesar de este fator estar igualmente presente), e sim propiciar à criança um conjunto de normas de comportamento e meios de decodificação do mundo circundante, integrando e adequando o leitor a ele. Há, pois, um dirigismo patente na obra, que também cabe levar em conta, quando da abordagem da relação do texto com seu leitor. Legitima-se a opção metodológica voltada à investigação dos processos de recepção do texto infantil, na suposição ainda de que poderá favorecer uma reflexão sobre o caráter ideológico da literatura para crianças enquanto introdutora de normas do mundo adulto no âmbito da infância, revelando o lugar social do gênero.

A Representação da Criança

A utilização de personagens crianças na literatura infantil não tem a mesma idade do gênero. Os primeiros livros escritos para a infância continham contos de fadas, adaptações de obras destinadas a adultos, como *Robinson Crusoe* e *Viagens de Gulliver,* ou ainda narrativas moralizantes, como as de Madame Leprince Beaumont (mais conhecida por um conto que escapa a esta classificação: "A bela e a fera"). A modificação ocorre na segunda metade do século XIX, quando as histórias passam a ser protagonizadas por meninos como Tom Sawyer, meninas como Alice, ou bonecos humanizados, imitando crianças, como Pinóquio. Cresce o número de obras, sendo *Alice no país das maravilhas, As aventuras de Huck, Os nenês d'água, As meninas exemplares, O mágico de Oz, Peter Pan* alguns representantes mais conhecidos dessa categoria.

A centralização da história na criança provocou outras mudanças: a ação tornou-se contemporânea, isto é, datada, e seu desdobramento apresenta o confronto entre o mundo do herói e o dos adultos. Desse modo, o leitor encontra um elo visível com o texto, vendo-se representado no âmbito ficcional. A nova orientação foi bastante fértil, já que a trajetória posterior da literatura infantil demonstra a inclinação ao aproveitamento do universo da criança ou de heróis que simbolizam esta condição (animais, preferentemente). O adulto não se viu banido do texto, pois os livros de aventuras continuam a atrair o leitor juvenil; porém, teve sua importância restringida no conjunto do gênero, fato que assinala a ascensão do adjetivo infantil como próprio à natureza desta modalidade literária.

Decorre desse fato uma indicação de ordem metodológica: é preciso que se examine em que medida são os interesses das personagens que saem valorizados no transcorrer dos eventos narrativos, averiguando se os livros falam a linguagem de seus leitores, oferecendo a eles um ponto de orientação e entendimento diante de sua realidade existencial e do ambiente dominado pela norma adulta.

O mágico de Oz, de Frank Baum

O livro de L. Frank Baum apareceu em 1900, e seu sucesso provocou a continuação dos episódios, dando sequência à trajetória de algumas personagens (o Homem de Lata, por exemplo) ou à utilização do mesmo cenário – a terra de Oz, a Cidade das Esmeraldas – para novas aventuras. Escritos os quatro primeiros entre 1900 e 1910,[11] Baum tentou encerrar a série neste ano; mas foi impedido por seus leitores, o que o levou a prossegui-la, até a sua morte, em 1919.

A personagem central da narrativa não é o mágico, mas Dorothy, uma menina que mora em Kansas, com seus tios, e vem a ser transportada por um ciclone ao Reino de Oz. Ao chegar lá, descobre que o mágico, que governa a Cidade das Esmeraldas, pode ajudá-la a voltar para casa, seu principal objetivo. Durante a viagem, encontra três amigos, o Espantalho, o Homem de Lata e o Leão Covarde, que esperam também que Oz possa resolver suas respectivas dificuldades. As aventuras por que passam podem ser divididas em três sequências:

– a viagem até a Cidade das Esmeraldas, após a destruição da Bruxa Má do Leste e a libertação dos anões, quando Dorothy, acompanhada de seu cão, encontra os amigos;

– a viagem até a Bruxa Má do Oeste, a fim de destruí-la, por ordem do mágico, e a volta à Cidade das Esmeraldas, com a concessão das recompensas ao Leão, ao Lenhador e ao Espantalho;

– a viagem até a Bruxa Boa do Sul, Glinda, que indica o caminho de casa a Dorothy e distribui seus companheiros pelos diferentes reinos de Oz.

A sequência de viagens, própria à narrativa de aventuras, é motivada por uma busca por parte de cada personagem: Dorothy almeja a volta à casa, tendo perdido os meios para isto; o Leão, o Lenhador e o Espantalho querem ganhar respectivamente coragem, coração e cérebro, cuja conquista lhes permite alcançar um lugar político no mundo de Oz: o primeiro acha seu reino entre os animais, o

---

[11] *The wonderful wizard of Oz* é de 1900; em 1904, Baum publica *The land of Oz*: em 1907, *Ozma of Oz* e, em 1910, *The Esmerald City of Oz*.

segundo passa a governar os Pisca-Piscas e o último, a Cidade das Esmeraldas. O retorno de Dorothy supõe um abandono de Oz; por isso, é o mais complexo. No entanto, segundo ainda a tradição da história de aventuras, mantém-se como motivação para o prosseguimento da ação, que somente se encerra quando o autor explora os quatro cantos de Oz e todos os seus diferentes povos.

O desdobramento do relato está fundamentado no deslocamento no espaço; contudo, o problema dos heróis está dentro deles. Com efeito, todos eles possuem desde o início as qualidades que almejam: não apenas os amigos de Dorothy são corajosos, inteligentes e generosos, como ela própria recebe, assim que aporta em Oz, os sapatos mágicos que lhe permitirão retornar a Kansas. Portanto, a trajetória deles por toda a nação de Oz visa não apenas desenvolver um modelo de narrativa de aventuras, mas possibilitar o desdobramento das virtudes que as personagens previamente têm, mas não sabem e não as veem reconhecidas pelo grupo. À medida que a ação evolui, dá-se o assumir dessas qualidades interiores, como se pode ver abaixo:

SEQUÊNCIAS	AÇÃO	TRANSFORMAÇÃO DOS HERÓIS
1ª	viagem de Kansas à Cidade das Esmeraldas	carência vivida por todos
2ª	viagem ao Oeste e à Cidade das Esmeraldas outra vez	superação da carência por parte do Leão, do Lenhador e do Espantalho
3ª	viagem da Cidade das Esmeraldas para o Sul: volta de Dorothy para casa	superação da carência por Dorothy. Todos encontram seu lugar social

O mágico de Oz narra, pois, o encontro de cada um consigo mesmo e o reconhecimento do grupo. Cabe verificar, pois, como estas duas descobertas são tratadas pelo narrador tanto no desdobramento da ação quanto na utilização dos recursos do relato.

A carência vivida pelos agentes diz respeito à ausência de uma qualidade que cada um julga imprescindível. Ela pode ser expressa pelas personagens:

> – Estamos a caminho da Cidade das Esmeraldas, para falar com o Grande Oz – respondeu Dorothy. – Paramos em sua cabana para descansar.
>
> – E o que desejam de Oz?
>
> – Eu, voltar para Kansas; ele, um cérebro.
>
> – Será que Oz pode me dar um coração?
>
> – Acho que sim – disse Dorothy. – Deve ser fácil para ele.[12]

ou reforçada pelo narrador:

> Quando se aproximavam dum buraco, Totó o transpunha num salto, Dorothy o contornava, mas o Espantalho, sem cérebro para raciocinar, seguia em frente, tropeçava e caía (p. 30).

Todavia, acaba por ser desmentida pela ação dos heróis:

> – Tive uma ideia: se eu for com você até a Cidade das Esmeraldas, será que o Grande Oz me dará um cérebro para pensar? (p. 28)
>
> Quando o lenhador conseguiu movimentar-se livremente, não se cansava de agradecer-lhes. Parecia muito bem educado, e depois de finalmente esgotada sua incomum capacidade de gratidão declarou (p. 37).
>
> O texto desautoriza a palavra do narrador, porque este pode reforçar a noção que as personagens fazem de si ou

---

[12] BAUM, L. Franck. *The wonderful wizard of Oz*. London: Dent, 1975. A citação provém, assim como as seguintes, da edição brasileira: BAUM, L. Frank. *O mágico de Oz*. Trad. de Paulo Mendes Campos. Rio de Janeiro: Tecnoprint, 1969. p. 23.

desmenti-las, sem revelar o que está fazendo, como se pode verificar:

> Certa ocasião, porém, o Homem de Lata esmagou sem querer um besouro, e ficou muito infeliz, derramando durante algum tempo lágrimas de tristeza, tantas que acabaram lhe enferrujando as dobradiças do queixo (p. 45).

Relativizada a palavra das personagens por sua ação e pelas indicações do narrador, o texto cria um universo de sugestões que demandam a interpretação do leitor. Este terá de reconhecer, antes de todos, que as personagens possuíam de antemão o que buscavam, faltando-lhes apenas a autoconfiança adquirida após o segundo encontro com o mágico. De modo que a ação do leitor passa a pertencer ao relato, já que a necessidade de reconhecimento social é tematizada no livro. Além disso, na medida em que se propicia a identificação entre a criança e os heróis, uma vez que estes simbolizam as dificuldades pessoais dela, o livro confere ao narratário um importante espaço em seu interior; e ainda lhe oferece meios de reflexão sobre sua condição, enquanto ser carente de autoconfiança e na busca do reconhecimento pelo grupo.

A formulação de uma autoimagem encontra repercussão no leitor, de modo que a ele caberá uma tomada de posição diante dos agentes e de si mesmo. E a narrativa sugere ainda que recursos cada um tem para refletir sobre si mesmo e o outro: diz respeito à observação da ação. São as atitudes dos heróis que revelam que nada lhes falta, legitimando-lhes a concessão de um alto posto na comunidade. Portanto, o narrador se submete à decisão de todos, evitando interpretar antecipadamente o que aconteceu com seus heróis.

São as personagens Leão, Homem de Lata e Espantalho que encarnam a busca de identidade, encenando o conflito que se passa na intimidade; sua configuração simbólica legitima a forma não humana deles, possibilitando que seja avaliada como projeção da interioridade de Dorothy ou do leitor. Por sua vez, é a menina que representa o gênero humano, acompanhada do Grande Oz, o que os converte, diante do número de personagens não humanas do livro (fadas, bruxas, anões, animais), num subgrupo à parte. Essa caracterização se complementa por outros dados: não são originários de Oz, e sim dos Estados Unidos; e pertencem a um tempo (fins do século XIX, época de experiências com balões) e espaço reais (Kansas e Omaha), tendo uma condição familiar e faixa etária determinada (criança e velho). Os demais vivem em Oz e estão totalmente integrados a esta nação, onde não se percebe a ação do tempo e a estrutura monárquica lembra a do mundo dos contos de fadas, justificando o aparecimento das entidades sobrenaturais, os deslocamentos fantásticos no espaço e a convivência harmônica entre o reino animal e o humanizado.

Sendo a única personagem com atributos contemporâneos e verídicos, Dorothy é o ponto de entrada e vivência do texto. Seus companheiros comportam conotação simbólica que personifica os conflitos interiores do destinatário; mas a menina ocupa o lugar do herói, contato fundamental entre a realidade e a magia, entre o leitor e o livro. Contudo, não somente sua condição humana assegura-lhe este privilégio; é que a focalização do texto provém dela, e o narrador incorpora em quase todos os momentos do relato seu ponto de vista, completando o esforço de relativização de seu papel narrativo.

Nessa medida, cabe verificar a trajetória da menina. Expelida de casa por um ciclone, suas aventuras visam ao retorno à fazenda, onde vivia com seus tios Henry e Em, "num longínquo recanto duma das grandes planícies de Kansas, no meio dos Estados Unidos" (p. 11). A residência com os tios, numa pequena casa bastante afastada da civilização, devia-se ao fato de ter ficado órfã; sua vida era bastante solitária e, conforme descreve o narrador, ela "só não desaprendeu a rir e não ficou cinzenta graças ao Totó, um cãozinho preto, de pelo comprido e sedoso, olhos escuros e miúdos que piscavam alegremente, com o qual passava o tempo brincando" (p. 12).

Embora essa vida não seja muito emocionante, e mesmo a ameace de torná-la cinzenta e calada como os tios, em nenhum momento a menina cogita em ficar em Oz. Desde que chega, quer voltar para a fazenda, dirigindo todas as suas ações para este alvo. Seu percurso divide-se nas viagens antes mencionadas, coincidindo, cada uma delas, com a destruição de uma entidade mágica:

a) primeira viagem → destruição da Bruxa Má do Leste
b) segunda viagem → destruição da Bruxa Má do Oeste
c) terceira viagem → destruição do Mágico de Oz

Embora o último vilão não seja caracterizado como um mau elemento, sua vigarice coloca-o ao lado das Bruxas Más, a quem teme. Essa qualidade explica seu alinhamento com as feiticeiras, eliminadas pela ação voluntária ou não de Dorothy. Por sua vez, evidencia-se por que a menina ocupa o lugar de herói no relato: não apenas sujeita a seu comando a atividade dos companheiros, como também destitui do poder as figuras malignas e colabora decisivamente para a instauração de uma ordem positiva em Oz. É ainda quem orienta a ação em direção ao mundo adulto, enquanto os demais buscam uma autoimagem no âmbito pessoal, e é capaz de instituir sua lei em meio dele. Enfim, o resultado de seu empreendimento não se esgota na reintrodução da ordem de Oz; produz também uma dessacralização do meio, ou melhor, exorciza as entidades malévolas. Desse modo, embora menos poderosa que as Fadas do Norte e do Sul, é ela quem destrói as Bruxas do Leste e Oeste; e é seu cão que desmascara o mágico, revelando sua impostura. Ao final, é responsável pelo deslocamento do poder, que vem a ser exercido por pessoas boas, como o Lenhador e o Espantalho, sucedendo-se, por isso, a substituição da ação sobrenatural pela humana e natural. Dorothy propicia a regulagem do ambiente em justiça e inteligência, substituindo o absolutismo mágico pelo liberalismo humano e afasta-se de Oz, na suposição de que, posta em marcha a engrenagem, ela funcionará regularmente.

Sua relação com o mundo adulto não impede a continuidade de sua ação liberadora, na companhia de amigos. No entanto, o exercício dessa liberdade tem raízes pessoais bem definidas: é órfã, não sofrendo a limitação da família. e ainda é expelida para fora de casa; seus adversários são mulheres (as bruxas), enquanto os companheiros são masculinos. Ainda assim, é ela quem comanda o grupo, vacilando apenas quando se depara com um adulto poderoso: o mágico. A desmitificação deste é sua ação mais importante, porque significa o desmascaramento de um igual, proveniente de lugar similar ao seu.

O mágico corporifica de modo cabal o âmbito adulto na narrativa: não apenas porque provém da mesma comunidade que a menina, mas porque personifica o falso poder. Em seu primeiro encontro com as personagens, quando atende um a um (e a divisão do grupo faz sua fraqueza), aparece em todo seu esplendor, assustando os assistentes e fazendo falsas promessas. Na ocasião seguinte, revela-se sua impostura, mas os heróis ainda esperam dele uma solução. Embora tenham conseguido a chave para a resolução de seus problemas, precisam de confirmação externa. O mágico procede a isto ainda de modo ambíguo: finge uma solução para os três, mas falha (e foge) quando se trata de Dorothy. Seu poder aparece ainda vinculado ao engano, pois o narrador desvela o pensamento dele após o terceiro encontro com o Leão, o Lenhador e o Espantalho, o que não julgara necessário em outros pontos da narrativa:

> Ao ver-se sozinho, o mágico sorriu, pensando: "Como posso deixar de ser um farsante se essa gente me obriga a fazer coisas que todos sabem ser impossíveis? E no entanto foi tão fácil dar felicidade ao Espantalho, ao Leão e ao Homem de Lata. Por quê? Porque eles acreditavam que eu fosse capaz de qualquer proeza" (p. 107).

Entretanto, o vigarista mostra-se ineficaz, quando se trata de solucionar a crise mais séria, a da criança por excelência: Dorothy. Configura-se, assim, a duplicidade do adulto em relação à infância enquanto uma oposição entre aparência de poder e fragilidade na solução dos problemas; por sua vez, necessidade de desmascaramento × dependência assinala a orientação contrária, do menor para o maior. A fuga do mágico poderia indiciar que o processo de desmascaramento foi total, mas não é assim: Dorothy mantém decisão de voltar para casa, e precisa de alguém mais velho que lhe revele os meios.

Como acontece com seus colegas, ela traz esse poder consigo: provém de seus sapatos de prata, que recebe logo ao chegar em Oz e cujo poder de deslocamento espacial é anunciado por Glinda na última parte. É, pois, a fada que assumirá, ao final, o papel doador do adulto, fechando o círculo. Distribui as regências aos heróis masculinos e assegura o retorno à garota. Essa configuração maternal[13] ainda se completa pela beleza eterna e a bondade natural, que lhe são atribuídas. Dessa maneira, configurando o herói ativo, cuja determinação leva à conquista de autoconfiança e crescimento interior, uma vez que as viagens significarão igualmente uma iniciação à existência, o texto assinala sua contrapartida, devido à manutenção de um laço de dependência e afeto em relação ao mundo adulto. Entretanto, na medida em que a ação das personagens ruma para a destituição do poder dos mais velhos (importando para isto a caracterização física do Grande Oz, que aparece gigantesco, e é pequeno e enrugado), percebe-se que esta depen-

---

[13] Cf. a propósito igualmente a interpretação de Jordam Brotman: "Glinda não tem um regulamento meramente temporal; ela é a grande mãe, a senhora do amor em Oz". (BROTMAN, Jordan. A late wanderer in Oz. In: EGOFF, Sheila; STUBBS, G. T.; AHLEY, L. F. (Ed.). *Only connect.* Reading on children's literature. Toronto and New York: Oxford University Press, 1969.)

dência decorre da situação de carência existencial e não implica dominação. Dorothy alcança seu lugar, mas rejeita a solidão, de modo que a ação de Glinda é recompensar, mas não impor normas.

O exercício da liberdade pela criança coincide com o ideário liberal do texto. Este diz respeito à destituição dos maus do poder do Estado e ao desmascaramento dos charlatões; e os vilões são, ao mesmo tempo, adultos e tiranos, embora a conclusão não seja generalizada, nem mesmo sugerida, uma vez que é Glinda quem assegura o pleno restabelecimento da ordem ao final. Fica clara, porém, a equivalência entre harmonia no nível político, interpessoal (adultos e crianças) e intrapessoal (busca e aceitação de uma identidade). Nesse mundo perfeito, que é Oz, transparece o ideal da democracia americana, tanto pela promoção do liberalismo, como pela valorização do contexto social das personagens.

O mundo de Oz contém muito do conto de fadas: é habitado por fadas, bruxas e anões. Se faltam os príncipes, sobram os elementos mágicos próprios ao gênero fantástico. Contudo, os heróis principais, exceto o Leão, são membros da primitiva sociedade norte-americana: os fazendeiros, representados por Dorothy, sua família e o Espantalho, e os lenhadores.[14] Figurações que remontam à primitiva mitologia da colonização, estes seres apontam para um ideal de democracia rural que, segundo Jordam Brotman, marca o pensamento não apenas do livro, mas de seu autor, que procurou, numa Los Angeles ainda não contaminada pela indústria cinematográfica, construir uma espécie de paraíso terrestre, Ozcot.

Recusando a civilização e o progresso industrial, que se anunciavam em seu tempo, Baum cria um universo ima-

---

[14] O lenhador é personagem fundada num mito firmemente implantado na cultura norte-americana, como se pode ver na promoção da juventude de Abraham Lincoln, quando era lenhador.

ginário de plena harmonia entre os indivíduos, conquistada por suas ações meritórias e desinteressadas; esta recusa, que supõe um deslocamento espacial semelhante ao de sua heroína, do Leste para o Oeste e do Norte para o Sul, assinala a índole utópica de seu sonho que, se se configura em certos modelos políticos, indicia também o desconforto com a atualidade e a aspiração de ruptura e mudança. E, se o livro alcança sua grandeza ao tomar partido das crianças e procurar reproduzir artisticamente seus desejos e busca de identidade, ele revela ainda um sonho do adulto, o de voltar ao passado e recuperar a infância ingênua de sua própria nação.

Peter Pan, de Monteiro Lobato

Se *O mágico de Oz* não deixa de apresentar, sob o prisma político, um sonho infantil de retorno à pureza primitiva, ainda que mediada pelo modelo democrático americano, em mutação em seu tempo,[15] *Peter Pan* tem como ponto de partida o desejo por excelência do adulto: o de não ter crescido.

O livro de James M. Barrie teve uma história particular. Em 1902, o autor, dramaturgo em evidência na época, escreveu um conto infantil – "The little white bird" – que, em 1904, transformou em uma peça para adultos, com o revelador título de *Peter Pan, the boy that wouldn't grow up*. O sucesso do texto levou-o à produção de dois novos relatos: o conto "Peter Pan in Kesington Gardens", de 1906, e o livro para crianças, *Peter Pan and Wendy*, de 1911. A popularidade da comédia estendeu-se à novela que, no

[15] A afirmação diz respeito à ascensão de uma política imperialista, que caracteriza a administração Roosevelt, no final do século XIX, e transparece nas intervenções militares, que se estendem de 1898 (Filipinas e Cuba) até a primeira guerra, na Europa.

Brasil, além de ser traduzida, foi reelaborada por Monteiro Lobato.

Lobato manteve os principais episódios do relato de Barrie:

– Peter Pan vem espiar a Senhora Darling contar histórias para seus filhos: uma noite, acaba perdendo a cabeça de sua sombra, dependendo de Wendy para recuperá-la; do diálogo dos dois nasce a ideia de levá-la à Terra do Nunca, a fim de narrar histórias para os Meninos Perdidos;

– ao chegar à Terra do Nunca, a jovem assume a função maternal: cuida da casa, dos garotos e conta histórias;

– num passeio à Lagoa das Sereias, Peter Pan, acompanhado por Wendy, salva a índia Pantera Branca; ajuda ainda no salvamento de Wendy e consegue escapar dos piratas com a ajuda de um pássaro;

– os pequenos Darling sentem saudades de casa; quando abandonam a casa, são apanhados pelos piratas chefiados pelo Capitão Gancho, mas Peter salva-os ainda uma vez mais;

– as crianças voltam, e os seis meninos perdidos são adotados pelos Darling; Peter Pan prefere ficar na Terra do Nunca, porque não quer crescer. Ainda visita Wendy um ano depois, porém, mais tarde, aparece apenas para suas descendentes, levando-as a aventuras similares.

Na história original, Barrie lida basicamente com dois temas:[16] de um lado, o confronto entre a civilização e a natureza, representada a primeira pela família Darling, a segunda pelo herói; de outro, a divisão etária que separa infância e idade adulta, para a qual marcham todos, menos o menino que não quis crescer. O autor dá unidade à sua temática, porque *Peter Pan* sintetiza os dois aspectos: ele é uma

---

[16] Cf. BARRIE, James M. *Peter Pan and Wendy*. London: Dent, 1954. V. igualmente a edição nacional: BARRIE, James M. *Peter Pan*. Trad. de Paulo Mendes Campos. Rio de Janeiro: Tecnoprint, 1972.

força natural – um pássaro, devido à capacidade de voar; a brisa, invisível e rebelde; o próprio deus Pan, símbolo da vida selvagem e do instinto. Ao mesmo tempo, o menino opta por não crescer, cabendo-lhe sintetizar a infância.

No entanto, conforme observa John Rowe Townsend,[17] trata-se da infância na concepção do adulto, o que explica a associação procedida pelo relato entre juventude e espontaneidade, ausência de História e primitivismo. Resulta de uma visão mítica da infância, porque se funda numa idealização de suas condições: vivência de uma absoluta liberdade e aliança com a natureza. Seu mundo carece de normas, não constituindo ainda uma sociedade. É o mundo do bom selvagem na concepção idealizada do adulto, mas não é a infância.

O fato de a ação situar-se na Terra do Nunca é igualmente significativo. Trata-se de uma fantasia que se configura previamente como impossibilidade de realização, em decorrência não da inoperância dos heróis, mas de um fator que não dominam: a inexorabilidade do tempo. Em razão disso, Wendy, seus irmãos e os Meninos Perdidos crescem e não são mais reconhecidos por Peter. Integram-se à civilização e não interessam mais ao selvagem; mas eles ainda se lembram do outro e reconhecem-no, quando ressurge para os mais novos; a nostalgia permanece, mas o tempo é irreversível. A infância é também um "nunca" a que não se tem acesso, desde que o indivíduo se torne adulto. Por isso, predomina a perspectiva desse em todo o decurso da história.

A criança tem, todavia, uma conduta no texto que contraria este fato, o que caracteriza a inserção de sua óptica, ainda que de modo colateral. É que Wendy, assim que chega à ilha, assume o lugar da mãe de que todos sentiam falta; a família lhes é necessária, mesmo para *Peter Pan* que

---

[17] Cf. TOWNSEND, John Rowe. *Written for children*. London: Penguin, 1977.

ora se coloca como pai dos Meninos e esposo de Wendy, ora como seu filho e irmão dos outros. É, por sua vez, a saudade que motiva o regresso e a reintegração ao tempo, o que se completa ao final. Contudo, esse retorno, ao contrário do de Dorothy, não é acompanhado de uma aprendizagem; representa, antes, uma opção pelo tempo e pela cidade, abandonando a Idade de Ouro da infância, relegada ao sonho e abafada como desejo.

Monteiro Lobato conservou a sequência original; optou, no entanto, pela introdução do mundo ficcional que criara, o Sítio do Pica-pau Amarelo, no universo de Barrie, procedimento que gerou modificações fundamentais em sua estrutura e concepção, assim como na solução do problema do leitor. Fazendo com que Dona Benta conte a seus netos as aventuras de Peter Pan, o autor reproduz dentro de sua história o modelo comunicacional da narração:

Emissor→		Mensagem →	Recebedor
I	←	I	I
Dona Benta		Peter Pan	moradores do sítio

Os ouvintes do relato de Dona Benta são: as crianças, Pedrinho e Narizinho, os bonecos, Emília e o Visconde, e um adulto, Tia Nastácia. Dona Benta é a narradora adulta que, após a leitura do livro, refaz à sua moda os principais episódios do original. Desse modo, reproduzem-se por duas vezes o sistema de leitura e a situação do leitor: pelo resumo da avó, explicitando o procedimento do adulto para ler um livro infantil; e pela inserção dos leitores crianças, que ouvem e participam na elaboração da narrativa final.

O lugar do leitor é mimetizado pelo próprio relato e, ao mesmo tempo, multiplicado em posições distintas, o que motiva as diferentes reações de Pedrinho, Emília e os outros. Estas podem dar-se de vários modos: por meio dos comentários sobre as ações, das exigências de explicação para as situações desconhecidas, do desejo de continuação etc. Pedrinho e Emília são os ouvintes ativos, e a segunda ainda passa do domínio da ficção à realidade (para ela), quando, furtivamente, rouba pedaços da sombra de Tia Nastácia. Narizinho não tem uma atuação tão exigente, e o Visconde é solicitado como detetive.

O leitor é convidado a participar do mundo ficcional mediante esse recurso, de modo que sua identificação com uma das personagens coincide necessariamente com o assumir de uma posição mais ou menos crítica, como fazem as crianças do livro. Além disso, como essas refletem sobre a composição de uma história infantil, ele é levado a compreender sua própria situação enquanto recebedor de um universo imaginário.

A teoria da história infantil é outro aspecto da originalidade do livro. Por intermédio das reflexões de Dona Benta e das crianças, emerge uma versão sobre a natureza da literatura moderna para a infância, a motivação do interesse do leitor e sua linguagem.

A opção por uma criação desligada da tradição do conto de fadas é o que impulsiona a todos para a leitura de *Peter Pan*; mas isto não se deve à rejeição do gênero, e sim à novidade que caracteriza as histórias infantis mais recentes, segundo Narizinho:

> – Estou notando isso, vovó – disse ela. Nas histórias antigas, de Grimm, Andersen, Perrault e outros, a coisa é sempre a mesma – um rei, uma rainha, um filho de rei, uma princesa, um urso vira príncipe, uma fada. As histórias modernas variam mais. Esta promete ser boa.[18]

Mais adiante, é enfatizada a questão referente à composição do texto, fundada necessariamente no mistério, já que é o elemento não banal da existência que propicia a aventura.

---

[18] LOBATO, Monteiro. *Peter Pan*. São Paulo: Brasiliense, 1956. p. 174. Todas as citações provêm desta edição.

> – Não entendo como é que a senhora Darling foi deixar a janela aberta. Quarto de criança a gente não deixa a janela aberta nunca. Entra morcego, entra coruja – e entram até esses diabinhos, como o tal Peter Pan.
>
> – Boba! – exclamou Emília. Se ela não deixasse a janela aberta não podia haver essa história. Se você fosse a mãe dos meninos deixava a janela fechada, não é? E o que aconteceria? Cortava a cabeça da história logo no começo (p. 174-175).

O mistério é importante não apenas por possibilitar a sequência da história; é também o elemento de sedução da literatura. A opção pela representação verista pode diluí-lo e, mesmo se originando de uma aspiração à rejeição da banalidade e da repetição, liquida o encanto da ficção. Por isso, Dona Benta adverte Emília, quanto esta quer dessacralizar as sereias:

> – Hei de fazer uma história diferente – declarou Emília. Uma história onde todas as sereias sejam agarradas e amarradas e trazidas para a cidade dentro dum caminhão.
>
> – Pois você errará, Emília, se escrever uma história assim – disse Dona Benta. Além de ser uma judiação arrancar do seu elemento criaturas tão lindas, essa pesca e essa trazida para a cidade em caminhão viria destruir a beleza e o mistério das sereias. Sabe o que acontecia? Os jornais davam o retrato delas impresso em tinta preta (nos livros elas aparecem em lindas pinturas de cores macias); os sábios de óculos vinham estudá-las, isto é, abri-las com as suas facas chamadas bisturis para ver o que tinham dentro, e mil outros horrores. Não, Emília. É melhor que ninguém nunca pegue uma sereia – nem você tampouco. Na sua historinha, agarre a sereia, mas faça que ela escape no momento de entrar para o caminhão. Ficará muito mais poética a sua historinha, eu garanto (p. 206-208).

O caráter atraente do texto por meio do universo representado é incorporado pela própria linguagem; é o que a faz poética e justifica os jogos semânticos:

> Narizinho estranhou aquela expressão "cor de outono".
>
> – Que história é essa, vovó? O outono é uma das estações do ano, mas não me consta que tenha cor...

> Dona Benta riu-se.
>
> – Minha filha, a língua está cheia de expressões poéticas. São os poetas que inventam essas coisas tão lindinhas para enfeite da linguagem (p. 224).

O último elemento referido diz respeito ainda ao suspense e à exploração do conteúdo sedutor do relato. É o que legitima as interrupções, a projeção de dúvidas e incertezas para o futuro da narrativa, e alimenta o interesse do leitor. Determina a divisão em capítulos e os adiantamentos, provocando o comentário de Pedrinho:

> – E depois? – indagou Pedrinho.
>
> – Depois, cama. Já são nove horas. Para a cama todos! Amanhã veremos o que aconteceu.
>
> Pedrinho danou.
>
> – É sempre assim. As histórias são sempre interrompidas nos pontos mais interessantes. Chega até a ser judiação... (p. 238).

A interrupção é o aspecto composicional mais empregado em *Peter Pan*. Determina, de um lado, a divisão em capítulos e o tratamento do tempo da narração, que toma seis serões. De outro, o processo de retardamento decorre tanto da preocupação em motivar o interesse do leitor na continuação da história, como da introdução da perspectiva desse no texto, que solicita informações suplementares[19] e incorpora sua realidade ao texto, buscando diminuir as fronteiras que os separam.

A atuação de Dona Benta, ao longo do relato, indicia a presença de uma concepção sobre o papel do narrador. Se comenta e explica a ação, isto decorre sempre da solicitação das crianças, evitando introduzir seus valores no processo de narração; ao mesmo tempo, não perde o controle sobre ele, manipulando as emoções dos ouvintes, pelas

---

[19] V. os pedidos de informação sobre a pigmentação da pele humana, o outono, lareiras etc., que povoam a sequência de *Peter Pan*.

interrupções e cortes no andamento sequencial. A sua reelaboração da história original é igualmente significativa, porque a avó procura concentrar-se no cerne dos acontecimentos, evitando as digressões do original de Barrie, cuja ação evolui lentamente devido às intromissões contínuas do narrador, assim como aos comentários à margem dos eventos. A valorização da ação e o desprestígio da descrição, o emprego de uma linguagem coloquial destituída de segundos sentidos ou ironias (bastante frequentes no original) são os atributos que se salientam numa obra para crianças, e é ao que Dona Benta procede em seu contar.

Ao liberalismo do narrador acrescenta-se sua conduta como chefe de família. Embora mantenha sua autoridade sobre as crianças, não assume um papel punitivo. É o que demonstra o episódio com a sombra de Tia Nastácia: se, por um lado, este episódio visa atrair a atenção igualmente para o mundo das personagens do Sítio e dar-lhe uma vida autônoma em relação ao primeiro *Peter Pan*, assim como a criar um mistério em torno da ação, independentemente do que acontece aos meninos na Terra do Nunca, por outro, ele coloca Emília na posição de merecer um castigo. Assim, à expectativa sobre a descoberta do criminoso, soma-se a dúvida quanto ao tipo de punição que a boneca receberá. E o leitor é contrariado: Emília corrige-se a tempo e não é punida. É o que explicita a medida da liberalidade da história: porque, como ela é um dos veículos de integração do leitor à obra, sua punição inevitavelmente repercutiria nele. E o autor a evita, omitindo ainda o remorso de Emília; pois, se o objetivo do livro é incentivar a criatividade e a tomada de posição, o castigo daquele que assim procede – isto é, do que responde positivamente aos apelos da ficção – provocaria não apenas uma incoerência com a temática desenvolvida, mas o assumir de uma atitude autoritária e castradora. Consequentemente, Dona Benta nada faz, como narradora e como adulta, limitando-se a advertências vagas.

Todavia, ela não deixa de transmitir seus valores. Chama a atenção de Emília devido às atitudes dessa em relação a Tia Nastácia e enfatiza a necessidade do saber, como um meio de cada um se impor no mundo. Se tais valores são questionáveis, porque não impedem, por outras vias, o reforço do racismo ou uma visão utilitarista do conhecimento,[20] o livro não se converte em obra moralista ou pedagógica, pois este enunciado provém de uma narradora, cuja palavra não é absolutizada, diluindo-se uma situação de igualdade com o ouvinte.

A este universo ficcional se opõe a presença de outros seres, quais sejam: um narrador anterior, doador do relato todo, e um ouvinte posterior, leitor implícito. Como o livro reproduz as condições de transmissão da história, as funções originais de comunicação são também apresentadas, desdobrando-se o modelo antes descrito:

Narrador 1 →	Narrador 2 →	Mensagem →	Ouvintes →	Leitor
I	I	I	I	I
anônimo	Dona Benta	*Peter Pan*	Meninos	anônimo

A duplicação das funções narrativa e receptiva possibilita a reflexão em torno dos atributos do narrador e do

---

[20] Lamentavelmente, a reprimenda de Dona Benta não exclui o componente racista: "mais respeito com os velhos, Emília! – advertiu Dona Benta. Não quero que trate Nastácia desse modo. Todos aqui sabem que ela é preta só por fora" (p. 166). E que se perceba a relação entre conhecimento e objetivo prático: "Neste mundo, Pedrinho, precisamos conhecer a linguagem das gentes simples e também a linguagem dos pedantes – se não os pedantes nos embrulham. Você já aprendeu o que é cinegético e se em qualquer tempo algum sábio da Grécia quiser tapear você com um *cinegético* em vez de abrir a boca, como um bobo, você já pode dar uma risadinha de sabidão" (p. 221 – Grifo do Autor).

narratário; ficcionalizados ambos, o exercício de uma ação pelo primeiro se contrapõe à presença dos comentários colaterais, demonstrando as regras de funcionamento do discurso narrativo. Todavia, este desdobramento relativiza a posição do primeiro narrador que, como interlocutor do relato, vai-se apagando em seu transcorrer e cedendo terreno a Dona Benta. Esse outro discurso é o que ascende; mas nunca se instaura soberano, porque sofre constantemente o assédio e o interrogatório dos ouvintes.

A relativização do narrador não é, pois, simétrica à do recebedor. Se a duplicação do primeiro o enfraquece, a multiplicação do segundo fortalece a posição do leitor, que encontra aliados, com os quais se identifica. Por isso, *Peter Pan* representa um reforço da posição da criança e o reconhecimento de seu *status* de leitor que impõe normas, na medida em que interfere, interrompe, interroga e julga as personagens, de acordo com suas necessidades e concepções.

A ascensão da perspectiva da criança ao primeiro plano inverte o sentido do relato original. Neste, era a nostalgia do adulto que predominava e contradizia o desejo infantil de imitar o mundo dos pais. Por isso, a história estabiliza de imediato a função de *Peter Pan*: se este oscilava entre ser o chefe da família e o filho de Wendy, no livro de Monteiro Lobato, ele é um pai consciente e responsável, assim como um aventureiro irrequieto que não se submete ao poder do Capitão Gancho. Este é o lado que encanta as crianças e com o qual querem se identificar; porém, não acontece a ruptura completa com o original, uma vez que também a inexorabilidade do tempo e a irreversibilidade dos acontecimentos são assinaladas. Emília e Pedrinho criticam a atitude dos heróis que voltam para Londres, e Dona Benta explica, ao final, a simbologia da história, invocando a transitoriedade da infância:

> – Significa – disse Dona Benta, que Peter Pan é eterno, mas só existe num momento da vida de cada criatura.

> – Em que momento?
>
> – No momento em que batemos palmas quando alguém nos pergunta se existem fadas.
>
> – E que momento é esse?
>
> – É o momento em que somos do tamanho dele. Mas depois a idade vem e nos faz crescer... e Peter Pan, então, nunca mais nos procura... (p. 262).

É nesse aspecto que Monteiro Lobato não rompe com a visão de James M. Barrie, mas desloca-a para um segundo plano. Além disso, o conteúdo nostálgico é emitido por um adulto, de modo que ele obtém uma coerência entre o sujeito da enunciação e seu enunciado, o que não existia na obra anterior. O confronto entre dois espaços ficcionais na história de Monteiro Lobato acrescenta ainda outros aspectos à questão temática.

Peter Pan, de James M. Barrie, contrapõe dois campos, o da civilização e o da natureza, equivalentes respectivamente à realidade e à fantasia das personagens. A trajetória destas se orientará do real para o imaginário, por meio do sonho e do "faz de conta", e de seu contrário: a volta significa uma adequação à realidade, a aceitação do mundo adulto. O leitor de Monteiro Lobato acompanha esse trajeto, mas seu retorno não o leva para Londres, à cidade moderna e ao progresso, mas a um outro espaço fantástico, o *Sítio do Pica-pau Amarelo*. Uma fantasia é substituída por outra, mais próxima e nacional, porém oposta ainda à civilização. Cabe-lhe preservar, pois, o Sítio, um mundo edênico e livre, visitado sempre por entes maravilhosos e aventureiros configurado como sinônimo da imaginação e do prazer.

Como fazer para assegurar este mundo? A integração ao Sítio faz-se tão somente pela leitura, isto é, pela imitação do ato de suas personagens. Desse modo, o livro solicita a si mesmo, e a continuidade do mundo da fantasia é a permanência do ato de narração da história. Tematizando sua produção e relacionamento com o leitor, *Peter Pan*, de

Monteiro Lobato, garante para si e para a literatura um lugar na vida da criança. Mas o faz enquanto apela para a fantasia, retardando o ato de adequação à realidade, na medida em que representa uma renúncia à imaginação e à infância, ou seja, uma aceitação da soberania adulta.

O fator de contestação do texto não advém, pois, de uma aspiração a um mundo liberto de normas, ideal porque inalcançável, mas coincide em que a preservação da infância faz-se na medida em que consegue se isolar dos valores adultos e civilizados, o que apenas pode acontecer enquanto o livro influenciar sua existência. Rompido esse laço, a criança desaparece. Dessa maneira, à literatura atribui-se o papel protetor em relação às investidas do mundo adulto, o que, mais uma vez, reforça o sentido dúbio que o gênero não consegue suplantar. Constituindo o meio que o leitor infantil tem para posicionar-se perante o real, seu resultado será ou a conversão forçada e o abandono da ficção ou a insistência nessa e o retardamento da maturidade. Superando o fator nostálgico do livro de Barrie, o *Peter Pan* brasileiro não alcança suprimir a cisão entre o mundo infantil e o adulto, embora opte por aquele e lute pelo reconhecimento de seus valores e autonomia.

As aventuras do avião vermelho, de Érico Veríssimo

Peter Pan, de Monteiro Lobato, lida com dois temas férteis da literatura infantil: o papel do livro na vida da criança e o desejo de voar, conhecer novas terras e aventurar. É o que aparece igualmente no relato de Érico Veríssimo, *As aventuras do avião vermelho*. Sua história está centralizada em Fernando, o menino travesso, que ganha de seu pai um livro, em troca de seu bom comportamento. O recebimento do livro como recompensa leva-o ao conhecimento das aventuras do Capitão Tormenta, com o qual se identifica. Pede então um novo presente, trocando-o outra vez pela atitude comportada: um avião vermelho. Pilota, depois, esse avião, saindo em aventuras pelo universo, até voltar para casa, quando é repreendido pelo pai, que encontra o novo brinquedo em pedaços.

A narrativa pode ser dividida em dois níveis:[21] o da moldura, que compreende o recebimento do livro e do avião, situado no terreno familiar; e o das aventuras pela lua e continentes, acompanhado de dois bonecos. A separação dos níveis corresponde a uma divisão nos planos espacial e temporal e à qualificação entre real e onírica, respectivamente, de um e outro:

	SETOR FAMILIAR	SETOR MUNDANO
Espaço	interno: casa	externo: universo
Tempo	uma noite	cinco dias
Âmbito	real	fantástico (sonho)
Relato	moldura	ação (aventura)

Examinando o setor familiar, pode-se verificar a representação da criança no plano social e pessoal. Este último apresentava-se por meio da carência desencadeada pelo livro, cuja doação deveu-se a um pacto entre pai e filho, envolvendo bom comportamento. Resultando, pois, de um momento de trégua doméstica, o livro vem propiciar a falta maior vivenciada pela personagem: a de lançar-se para fora do quadro familiar e reprisar as façanhas do Capitão Tormenta. Isto é, ele ocasiona uma nova travessura do garoto: a fuga de casa pela imaginação.

---

[21] Uma abordagem das funções narrativas neste e nos outros livros infantis de Érico Veríssimo pode ser encontrada em FILIPOUSKY, Ana Mariza; ZILBERMAN, Regina. *Érico Veríssimo e a literatura infantil*. Porto Alegre: Instituto Estadual do Livro; Universidade Federal do Rio Grande do Sul, 1978.

São as imagens presentes no texto que estimulam a fantasia de Fernando[22] e levam-no ao desejo de ter e dirigir o avião; todavia, o menino esbarra numa dificuldade natural: ele é muito grande e não pode entrar na máquina. Se o livro aciona o imaginário e motiva a identificação de Fernando com o bravo piloto, o avião, segundo objeto mágico da narrativa, patenteia as dificuldades físicas da criança para efetivar seu sonho.

A questão relativa ao tamanho avulta com a representação concreta dos problemas de toda criança. Fernando sente-se muito grande para comandar o veículo,

> – Pois é isso mesmo – refletiu Fernandinho. – Eu não caibo no avião.[23]

mas o pai focaliza a questão do ângulo contrário:

> – Papai – disse Fernandinho com voz tremida – eu tenho tanta vontade de viajar de avião...
>
> Papai passou a mão pelos cabelos do filho.
>
> – Pois sim, meu querido, quando ficares grande poderás entrar num avião.

A impotência da ação infantil no plano real fica revelada por sua condição biológica e acaba reforçada pela incompreensão adulta, como se pode verificar pela reação de Fernando às palavras do pai, acima transcritas:

> Os olhinhos de Fernando brilharam como bolitas de vidro.
>
> – Não, papai, eu acho que só posso entrar no avião quando ficar pequeno.
>
> Papai não compreendeu.

---

[22] Salienta-se que o narrador não diz que o menino leu o texto, e sim que viu suas figuras, o que indica sua faixa etária e condição de pré-alfabetizado.

[23] VERÍSSIMO, Érico. *As aventuras do avião vermelho*. Porto Alegre: Globo, 1976. As citações provêm desta edição, em que não há a numeração das páginas.

Unicamente o recurso à imaginação resolverá o problema do herói: usando um instrumento que amplia os objetos, uma lente, ele obtém o efeito contrário. Fica pequeno, sai em aventuras e volta apenas por acaso, sendo encontrado pelo pai, que mais uma vez não entende o que se passou com o filho:

> – Menino mau! Dei-te este avião ontem e já espatifaste todo o coitadinho! [...]
>
> Fernandinho compreendeu tudo. Papai não sabia da aventura.

A incompreensão paterna e a atitude repressiva configuram o nível familiar do texto. O menino é caracterizado como travesso ("Fazia o diabo. Era respondão. Gostava de arranhar a cara da cozinheira e de botar a língua para os mais velhos") e causador de tristeza para os pais:

> O pai e a mãe de Fernando viviam muito tristes. Só tinham aquele filho. Queriam que ele fosse quietinho, obediente, bom.

Avulta, pois, a assimetria entre o desejo dos pais e a atitude do garoto. A harmonia só é alcançada, quando Fernando vê uma vantagem nisto, tal como receber um presente. O sistema de trocas vai garantir o equilíbrio familiar, sobretudo nas relações entre pai e filho, já que a mãe, embora mencionada, nunca aparece. Mas é uma harmonia precária, porque o avião, sinal de paz, converte-se em pretexto para novas travessuras, assegurando ao pai a manutenção de seu papel autoritário:

> – Fernandinho! – gritou ele. – Que é que estás fazendo de manhã cedinho em cima da mesa do meu escritório?
>
> Fernandinho baixou os olhos, com medo.

É a configuração do plano familiar que diminui o herói. Não impede sua ação, mas determina que se passe unicamente no imaginário e na companhia de bonecos. Filho único, incompatibilizado com as exigências de bom comportamento, sem amigos humanos, está confinado ao círculo familiar, de que pode escapar em aventuras que o levam para todo lugar, menos para fora de casa. É para essa que retorna inevitavelmente, porque, de fato, nunca a abandonou. Por essa razão, a aventura não lhe acrescenta nada, a não ser a compreensão da diferença entre seu tempo e o dos adultos:

> Fernandinho compreendeu tudo. Papai não sabia da aventura. Eles tinham fugido de casa ontem. Quando a gente é pequeno, do tamanho do dedo minguinho, cada dia dos homens grandes vale cinco dos nossos.

Em outras palavras, a reflexão da criança leva-a a aceitar a divisão e acentuar a desproporção física: quanto menor o tamanho, maior a diferença entre os tempos e a distância entre os valores. A harmonia é, pois, utópica, cabendo a cada um dos polos etários – criança e adulto – guardar seu espaço e tirar o melhor partido dele: o adulto exercendo o controle sobre o real e a família, a criança tendo acesso à fantasia, que compensa seu desprestígio doméstico.

A fantasia posiciona a criança no real, sendo sua fonte de informações o livro. Que mundo aparece para Fernandinho? Geograficamente, fala-se da lua e da Terra, de céu, e mar ou continentes exóticos como a África e a Ásia; os grupos humanos são representados por tribos africanas e chineses. A vida urbana é configurada pela cidade selenita e a dos tico-ticos. Em outras palavras, Fernandinho encontra ambientes totalmente fantásticos ou ultrapassados, como os antropófagos da África. Mesmo os animais são extraordinários, como o prefeito dos tico-ticos ou o porco que tem uma casa, um mato e uma lagoa no estômago. No mundo visitado por Fernando, nada é verossímil, e sim desvinculado de um tempo e espaço possíveis. Simultaneamente, sobressai o caráter desconexo de todos esses objetos, o que dificulta a formulação, pelo menino, de uma concepção sintética da realidade, que lhe ofereceria um conhecimento sobre o universo.

Assim, se o cerceamento no plano familiar e a diminuição no nível pessoal levam-no a refugiar-se na fantasia, desencadeada pela apreensão do livro, os objetos refletidos por ela demonstram a ausência de uma vivência, pelo menino, do real ou de um tempo e espaço determinados. Ao contrário do mundo de Oz, onde Dorothy vê simbolizada sua circunstância, o que lhe permite chegar à autoafirmação, o meio por onde circula Fernando é caótico, carente de referências que permitam situá-lo num âmbito real. Não se trata apenas de uma aprendizagem inexistente, mas do fato de que a fantasia de Fernando não está reelaborando seus contatos com o real. Como a família não lhe propicia experiências por mantê-lo em casa, e o livro ocupa o polo oposto, oferecendo-lhe imagens desconexas de um universo fantástico, o menino não tem o que transpor-tar à imaginação, logo, nada retirando de seu passeio aéreo.

Pequeno para enfrentar o mundo, tornado menor para poder ocupar o avião de brinquedo, isolado de todos na companhia de bichos de pano, Fernando é um ser frágil que nada obtém de suas vivências, porque estas não se convertem em experiências. Contudo, isso não o torna um indivíduo passivo; se não se amotina contra a repressão paterna, permanece indiferente a ela e ignora as advertências. Além disso, adotando a postura de leitor desde o recebimento do livro, espelha a condição do destinatário em sua inoperância, quando sua situação infantil é reforçada por um isolacionismo. Nessa medida, se a identificação estabelecida entre o leitor e a personagem não produz a emancipação do primeiro devido à fragilidade da segunda, ela induz a uma conclusão oriunda do percurso do caminho inverso. É que a dificuldade da literatura infantil não está em seu apelo à fantasia, como fazem *O mágico de Oz* ou *Peter Pan*, nem em sua cisão com a existência histórica da criança ou da personagem; decorre, também, do fato de que carecerá de consistência – e, portanto, de interesse artístico – quando resultar de uma vivência empobrecida, incapaz de elaborar seus dilemas.

Dessa forma, a fantasia na história infantil sempre espelhará, de algum modo, a circunstância histórica e, transitando no âmbito do maravilhoso, a personagem atinge um grau de superação interior que lhe permite suplantar os percalços com a família e o meio ambiente. Entretanto, quando isso não ocorre, como em *As aventuras do avião vermelho*, a deformação não se situa na atitude escapista ou no apelo à imaginação, mas no fato de que esta não tem condições de traduzir o mundo íntimo da criança, porque o adulto, como o pai de Fernando, cerceou seu desenvolvimento.

Tal repressão, por vias transversas, reflete igualmente a condição da criança, mas, como no livro de Fernando, não resulta numa aquisição de saber; e converte a aventura numa soma de eventos sem maior conteúdo. No entanto, o cerceamento pode impedir ainda o próprio desejo da aventura, como se verifica em outra obra de Érico Veríssimo, *A vida do elefante Basílio*.

A história do elefante Basílio apresenta duas sequências: na primeira, são narrados o aprisionamento e transporte do herói para um circo, e, posteriormente, a compra dele por uma família rica como recompensa por uma ação positiva. As atitudes sempre elogiáveis do animal e os prêmios que recebe fazem dele a antítese de Fernando; porém, instalado na casa do menino Gilberto, manifesta um desejo surpreendente: quer ser borboleta, isto é, seu contrário:

> Uma borboleta passou voando diante dos olhos de Basílio, fez umas piruetas no ar e depois pousou numa papoula vermelha. Era uma borboleta azul, com asas pintadas de ouro verde. Basílio achou-a tão leve, tão bonita, tão brilhante que teve vontade de chorar. Ficou pensando nela todo o dia. Olhou-se no espelho. Achou-se gordo, pesado, sem graça. Aquela sua tromba

> era ridícula, todos riam dela. E a sua barriga, então? Por que era que ele não tinha nascido borboleta? Oh! Que bom se ele fosse borboleta![24]

Basílio sai em busca da satisfação de sua vontade. Entretanto, quando alcança as desejadas asas, não acontece a metamorfose, e sim o aparecimento de um ser grotesco, objeto do desconhecimento e do riso dos outros. Esse castigo, porém, não basta; ao voltar para casa, é alvejado por um caçador, que o confunde com um perdigão. A narrativa encerra com a recuperação do elefante, sem mencionar o futuro de suas asas, dando a entender que os percalços vividos determinaram a renúncia a elas.

A aspiração de conversão em borboleta, a antítese de um elefante, denota a insatisfação do protagonista consigo mesmo. E a vontade de voar, que o aproxima tanto do paradigma de *Peter Pan*, quanto de Fernandinho, quando, no início do relato, era o seu contrário. Sua sorte é a mesma do menino, pois é impelido de volta à condição original, e com um agravante em relação à figura central de *As aventuras do avião vermelho*: o elefante é punido, de modo que só lhe resta reprimir o desejo e conformar-se com sua forma e identidade. Enquanto que Fernando ainda pode guardar consigo, na memória, os frutos (embora parcos) de suas viagens, a excursão de Basílio é, por todos os seus aspectos, catastrófica: torna-se um ser híbrido; perde a identidade, uma vez que não é reconhecido; provoca risos; sendo, enfim, punido e retornando à forma primitiva. O desejo de mudança gera deformação, o que induz ao conformismo e à passividade. Se Basílio tem uma lição a tirar é esta, de modo que a saída para o mundo só produz resultados positivos para o aventureiro, quando lhe são oferecidas normas de comportamento, a que se sujeita. Portanto, obtém-se

---

[24] VERÍSSIMO, Érico. *A vida do elefante Basílio*. In: —. *Histórias infantis de Érico Veríssimo*. Porto Alegre: Globo; RBS, 1978. p. 98.

uma aprendizagem por meio da metamorfose, mas que não implica, como também acontecera com Fernando, um crescimento humano.

Da representação da criança no livro infantil decorrerá o tratamento artístico de sua busca de identidade e lugar social. Se o resultado ficcional pode apresentar caminhos comprometidos com o leitor, na medida em que lhe propiciam o reconhecimento e a solução para seus dilemas internos, o contrário também pode ocorrer. Nesse caso, a personagem é a primeira prejudicada: seus desejos são contrariados, afirma-se a autoridade paterna ou adulta por meio da valorização da norma e presencia-se a ausência de um crescimento íntimo por meio da aventura no mundo. Por sua vez, é a família que acaba consagrada como lugar social pleno, uma vez que apenas ela pode traduzir os valores. O real não apenas é desconexo ou fantástico, como em *As aventuras do avião vermelho*; ele é ainda um cenário de perigo, onde o herói perde sua liberdade ou acaba aviltado pelo outro, o que o traz de volta para o âmbito doméstico, agora duplamente justificado. É o que revelam os últimos textos analisados, evidenciando desta vez o compromisso ideológico oposto, o que atenta contra a autonomia da criança.

Transmissão de Normas e Ruptura

A centralização do evento narrado num herói infantil, nascida do interesse de estabelecer um vínculo profundo entre o leitor e a obra, tem como consequência a revelação do dilema inerente à literatura para crianças. Se sua natureza foi definida com base em suas relações com a pedagogia e sua evolução literária, a verificação das particularidades estruturais deságua na mesma evidência: a oscilação entre a representação da trajetória da criança, visando à elaboração artística de um caminho comprometido com a infância, e a sua repressão, apresentando as excursões ao meio exterior como aventuras com finais desastrosos ou inquietantes, de modo que acaba por reforçar a estrutura familiar e a reclusão da personagem no âmbito doméstico, recanto seguro, ao alcance dos pais, que mantêm tranquilos sua soberania. Assim, realçando a égide familiar e condenando o herói buscador, o texto assume um papel normativo, indicando ao leitor comportamentos preferenciais e reprovando as posturas interrogadoras.

A veiculação de normas pertence, portanto, à natureza da literatura infantil, podendo aparecer em graus diferentes, o que depende de seu comprometimento ideológico com os interesses do adulto. O caráter formador do texto é visto neste primeiro momento, da óptica temática; porém, não se pode negligenciar que esta dependerá do emprego de uma rede de recursos, imperando sobre todos eles a manipulação da linguagem. A soberania do narrador sobre a dicção da personagem, a valorização da correção gramatical e a distância maior ou menor (inclusive etária) entre o emissor do relato e o sujeito da ação são os meios pelos quais se fazem a imposição e a interferência de certos valores no âmbito do evento narrativo e, por extensão, do leitor. O fato determina, de um lado, a coexistência entre um projeto ideológico e o emprego dos meios literários; e, de outro, o que é mais significativo, a afirmação de um modelo de leitura, que exclui a decodificação do destinatário. Como a voz do narrador ocupa todos os espaços, ao leitor é fornecido um mundo pronto, previamente interpretado e facilmente consumível. Com isso, um processo de percepção textual é igualmente imposto, de modo que o recebedor é colocado perante um produto acabado que, se é opressivo no âmbito ideológico, é digerível do aspecto estético.

Facilidade de leitura e transmissão de valores repressivos caminham juntos, numa espécie de comércio em que se intercambia um relaxamento na decodificação pela conformidade com os conteúdos passados pelo relato. No entanto, é uma troca desigual e um negócio enganador, que coloca o leitor na trilha dos produtos similares da cultura de massa. Portanto, a forma fácil não é tão somente a atração para o cânone adulto de comportamento: é igualmente o habituar aos objetos em série da indústria cultural, ao consumo acumulativo e não crítico, à leitura domesticada.

A literatura infantil vê-se também perante a possibilidade ou não de adesão à vanguarda. A ruptura com os valores adultos é igualmente a negação de uma narração em que predomina um narrador judicativo, superior às personagens por seu conhecimento e capacidade de avaliação de seus destinos. Resguarda-se, portanto, no nível temático, a homologia entre o reforço de uma percepção aguçada e crítica, e sua provocação por meio de um tratamento dos recursos literários postos à disposição do escritor. No exame da representação da criança foi possível evidenciar essa relação em *O mágico de Oz*, por intermédio do uso da sugestão pelo narrador, ou em *Peter Pan*, pelo desdobramento da situação comunicacional. Cabe verificar agora como o problema pode ser equacionado de acordo com o ângulo da transmissão de normas, tratando-se, neste caso, de um enfoque do texto não mais com base na perspectiva infantil, mas da adulta, responsável pela narração.

A ilha perdida, de Maria José Dupré

A narrativa de Maria José Dupré conta as aventuras de Henrique e Eduardo numa ilha do rio Paraíba. Decidindo explorá-la contra a vontade de seus tios, em cuja fazenda, no interior de São Paulo, estavam hospedados, os meninos acabam por se perder. Destruído o barco que os trouxera, permanecem alguns dias na ilha. Constroem uma jangada e vêm a ser resgatados. Durante sua estada, Henrique conhece Simão, que vive isolado da espécie humana, na companhia dos animais do local. Após o reencontro com os tios, estes resolvem, com toda a família e mais os dois meninos, visitar a ilha. Mas nada acham de especial, nem Henrique revê o amigo.

O tema do livro pertence à tradição de *Robinson Crusoe*, de Daniel Defoe. Isolados da fazenda, desprovidos de todos os meios, os meninos têm de sobreviver às próprias custas. Todavia, essa sugestão não é levada às últimas consequências, pois Henrique encontra Simão e passa a tirar partido dos benefícios da sociedade implantada por ele. O verdadeiro Robinson é Eduardo, mas o narrador acompanha a trajetória de Henrique, até que os irmãos se encontram novamente e voltam ao convívio da civilização.

A presença de Simão e sua harmonia com os animais trazem para o livro a utopia selvagem do Tarzan, como lembra Henrique. Contudo, Simão, após a revelação do garoto, trata de preservar a peculiaridade de sua vida: ele havia optado por fugir à civilização e viver num mundo à parte, melhor e mais justo. A fusão do filão robinsoniano, indiciado pela aventura dos meninos, com a temática naturista de Simão sugere o eixo que estrutura o livro e organiza o tratamento das personagens: é a oposição entre civilização e vida natural. Eduardo e Henrique são habitantes da cidade que chegam ao extremo oposto: a "ilha perdida"; Simão é o homem que a escolhe, organizando aí seu *modus vivendi,* onde é feliz.

A integração à natureza é, pois, a volta ao paraíso. Mundo sem conflitos onde o homem é soberano, a ilha caracteriza-se ainda por sua separação e inacessibilidade. As pessoas podem chegar lá, porém nem todas conhecem seu coração, apenas Simão, que aí introduz o neófito Henrique. Este, por sua vez, atinge um saber não transmissível: de volta à ilha na companhia dos outros, não mais consegue atingir seu âmago. A ilha se fecha ao grupo ou à curiosidade incômoda. Por isso, ela só pode ser interiorizada ou obtida na solidão:

> Antes de deixar a ilha, deram ainda um pequeno passeio pelos arredores; a mata estava muito molhada devido à chuva e escorregavam a todo momento.
>
> [...]
>
> Colheram algumas flores para a madrinha; Henrique dizia consigo mesmo: "Um dia voltarei sozinho."[25]

Advém daí a sugestão do sentido onírico da experiência de Henrique, justificando a incredulidade dos companheiros. Seu sonho constrói um mundo ideal e mágico, realizando uma experiência pessoal que não pode ser compartilhada. Tal "egoísmo" espelha e legitima o isolacionismo do objeto desse sonho, Simão, de modo que a harmonia com a natureza é simultânea a um repúdio ao social e à afirmação da individualidade. À natureza, que se caracteriza com a totalidade, contrapõe-se um eu unitário, mas dividido em relação à comunidade.

A experiência solitária de Henrique parece valorizada, porque seu resultado é um fortalecimento do ego diante da natureza, assim como a promoção de um ideal rousseauniano, em que a bondade natural do ser humano é reforçada pelo meio selvagem. Todavia, essa conclusão é desmentida ao se contrapor a outro valor que se sobressai no texto, com maior saliência ideológica: a obediência.

O fundamento edênico da concepção de natureza salienta-se com base nos paradigmas de que a história se apropria:[26] o de proveniência robinsoniana, assegurando que o indivíduo tem condições de sobreviver num meio incivilizado; e o rosseauniano, que atribui a este ambiente uma superioridade em relação à vida urbana, ao progresso

---

[25] DUPRÉ, Maria José. *A ilha perdida*. São Paulo: Ática, 1979. p. 126. As citações são retiradas desta edição.

[26] Há ainda outro paradigma oculto: o da "visão do paraíso", descrito por Sérgio Buarque de Holanda (Cf. HOLANDA, Sérgio Buarque de. *Visão do paraíso*. São Paulo: Nacional, 1977) e formulada pelos primeiros viajantes europeus em relação à recém-descoberta América.

e à tecnologia. Esse pensamento se complementa pela crença na harmonia entre o homem e a natureza, e na bondade espontânea do primitivo.[27] Contudo, a primeira contradição transparece quando se verifica que o alvo maior é a inversão de um dos modelos, aquele que impele à aventura e ao desconhecido, próprio às proezas de Robinson.

Com efeito, se os meninos excursionam à ilha motivados pelo espírito de aventura, a validade dessa iniciativa é questionada de imediato por meio de dois fatores: as forças da natureza castigam Henrique e Eduardo, já que uma cheia causa a perda do barco, sucedendo-se depois outras desgraças; e emerge forte sentimento de culpa e arrependimento, tão logo aportam na ilha:

> Foi com verdadeira emoção que os dois meninos puseram pé em terra; estavam afinal na célebre ilha. Tudo fora tão fácil, pensou Eduardo, e Henrique era tão remador, não deviam arrepender-se da mentira pregada aos padrinhos (p. 19).

Tais emoções retornam durante a primeira noite passada fora:

> Os dois meninos estavam arrependidos de se terem arriscado nessa aventura: tinham vontade de chorar, mas queriam mostrar-se fortes, um para o outro (p. 28).
>
> Não falavam; cada um pensava com tristeza no erro que haviam cometido. Nunca deviam ter feito isso às escondidas do padrinho. Nunca. [...] Que arrependimento! (p. 28).

E permanecem vivas até a volta ao lar:

> Eduardo e Henrique sentiam-se muito envergonhados do que haviam feito; baixaram as cabeças com vontade de chorar. [...] Eduardo fez cara de choro e Henrique pediu logo desculpas (p. 103).

---

[27] Os animais representam essa bondade, organizados numa comunidade sem conflitos, que imita o melhor do ser humano. Exemplar é a cena da morte da veadinha, em que todos se solidarizam com o pai enlutado (p. 63 e 84).

O espírito de aventura é contrariado e substituído pela imposição do modelo de obediência e bom comportamento. Prevalece a necessidade de submissão à ordem paterna e adulta, imperando acima de tudo as prerrogativas do grupo. Tal fato justifica o caráter onírico da experiência do herói, que o texto sugere ambiguamente, esclarecendo sua razão de ser, qual seja, a ânsia de escapar a uma ordem dominadora, possível somente quando se afirmar como indivíduo isolado. Simão é, pois, a projeção do eu ideal de Henrique, soberano e senhor de sua vontade até o momento em que se exaure o desejo da solidão do jovem. Por isso, Simão administra a ação do protagonista, domina-o e transmite-lhe noções de respeito à natureza; também por causa disto, ele se esconde dos demais, desvendado apenas a Henrique quando despojado de seu remorso e ansioso por autoafirmação. Contudo, Simão é um adulto, o que fecha o círculo e estrangula a recém-conquistada liberdade do garoto.

Produto de uma projeção do menino, que elabora um eu ideal, Simão assume de imediato um papel paterno: veicula lições a ele, controla seus passos e determina quando deve retornar à casa. É o que o converte em superego e justifica sua conduta, aprisionando o jovem. Este, por sua vez, foi incapaz de mentalizar um ideal de liberdade que não o transformasse em prisioneiro e, simultaneamente, refletisse sua condição. Desse modo, é a criança que confirma a necessidade do poder adulto, assim como sua ideologia, fundada na obediência e contrariedade ao espírito de aventura. Por isso, ao final, o jovem posterga para o futuro sua utopia da solidão metaforizada na ilha selvagem, perdida, e seu sonho de uma vida livre, oposta à que a civilização lhe oferece, na qual imperam o conformismo e a obediência.

A norma adulta sai fortalecida: fugindo do mundo dominado pelo padrinho, o filho pródigo volta arrependido e humilde. Sonha com uma realidade ideal, na qual se oferece a possibilidade de expansão plena de seu eu, mas acaba subjugado a um adulto que, embora encarne um ideal de liberdade, autonomia e poder sobre o meio, é ainda superior e senhor de sua sorte. Composto pelos estereótipos do pai, rei e soberano, Simão representa o reforço da dominação adulta, transferindo o projeto de Henrique para um futuro distante, quando a posse da condição adulta for o salvo-conduto para o poder.

A supremacia adulta é ainda realçada pelo narrador, que cerra fileiras com o grupo dos mais velhos, estrangulando então a autonomia da personagem e a liberdade do leitor.

Em *A ilha perdida*, o discurso provém de um narrador impessoal e onisciente. Ele bloqueia não apenas a manifestação das personagens, que se comunicam pelo discurso indireto, como também a interpretação do leitor, pois todos os atos são explicados, não deixando margens a dúvidas. A onisciência relaciona-se ainda à permissividade com que interfere na intimidade das personagens, fazendo por elas as perguntas e formulando as respostas. O exemplo abaixo é ilustrativo:

> Cada um tomou um gole de água e depois iniciaram a caminhada de regresso. Mas quem diz de encontrar o caminho? Eduardo dizia que era à direita, Henrique afirmava que era à esquerda. Ficaram assim discutindo durante uns instantes, depois resolveram caminhar para a direita; andaram uma meia hora e não acharam o caminho por onde haviam passado (p. 21).

O narrador não se limita a descrever a ação; ele elabora ainda a pergunta que indica a indecisão dos heróis. Assim, não são eles que se questionam: "Mas quem diz de encontrar o caminho?", e sim o emissor do relato, que interpreta e decodifica a incerteza das personagens, sem participar dela. A distância da qual assiste aos acontecimentos permite-lhe, por sua vez, não se comprometer com os eventos: por isso, contrasta flagrantemente a segurança com que conta os passos perdidos dos meninos com a angústia deles, que andam em círculos.

A distância, a impessoalidade e a capacidade de invasão na intimidade dos heróis assinalam a separação radical entre o âmbito das personagens e o do narrador. Por sua vez, a absorção da dicção dos dilemas interiores delas à sua voz não apenas uniformiza o discurso, mas o submete às suas normas linguísticas. Como se pode ver abaixo,

> O homem deitou-se no leito de couro e penas e começou a ressonar. Henrique preparou-se também para dormir; nesse momento sentiu o coração apertar-se de tristeza: onde estaria Eduardo? Que pensaria ele não o encontrando na prainha? E os padrinhos? E os pais em São Paulo sem saber de nada? E aquele homem barbudo que o tinha prisioneiro e quase não falava? O que seria dele ali prisioneiro? Até quando ficaria na caverna? Era preciso fugir, sim, fugiria. Na noite seguinte, sairia da caverna enquanto estivessem dormindo e acharia o caminho da prainha. Não podia ficar sempre na gruta. Impossível (p. 56).

o narrador absorve o drama interior de Henrique e expressa-o em sua sintaxe: usa do futuro do pretérito, porque o fato atual para o menino é passado para ele; portanto, sujeita a personagem a seu tempo. E o emprego da linguagem gramaticalmente perfeita corrobora que a ansiedade do garoto é filtrada pela norma linguística reguladora e, por isso mesmo, amenizadora da angústia.

Por essa circunstância, o dilema do herói não transita para o leitor. Filtrado sempre pela linguagem correta e calibrada do narrador e explicado em suas causas e consequências, ele produz a exclusão do recebedor, que se vê, como Henrique, cativo de uma vontade adulta que manipula suas reações, mas não consegue mover suas emoções.

O tratamento das lacunas completa esse processo que caracteriza o imperialismo do narrador no texto e, por extensão, dos cânones adultos. Como nenhuma motivação é deixada em aberto, a narração ocupa todos os espaços do relato. No entanto, duas lacunas avultam: a primeira diz respeito ao que aconteceu a Eduardo enquanto o irmão esteve ausente; a outra, à origem de Simão. Como, todavia, o relato igualmente sugere que a experiência de Henrique foi tão somente um sonho, justificam-se tanto a ausência do primeiro, quanto a falta de passado do segundo. Produto do imaginário de Henrique e dependente dele, toda a aventura na selva pode ser omitida, restaurando-se a unidade do mundo narrado. Logo, o narrador não solicita a intervenção do leitor no mundo criado, e a exclusão acaba por mimetizar a impotência de Henrique, a necessidade de obediência aos maiores e sujeição às suas leis.

Ressaltando a importância de uma regra de comportamento que funda a convivência social e familiar, e assegurando a supremacia dos que já detêm o poder, *A ilha perdida* constrói-se literariamente com base na qualificação da palavra do narrador, que se concilia ao projeto de promoção dos valores adultos. Se revela, por via indireta, o inconformismo do jovem, acaba por reduzi-lo a uma experiência momentânea, cujos resultados desastrosos confirmam a veracidade da razão patriarcal. O inconformismo tênue se configura na projeção de um eu ideal, Simão, que concede proteção e segurança, independentemente ao mesmo tempo de qualquer lei comunitária; todavia, ele é um adulto, que pune, aprisiona e ensina, incorporando a tarefa do superego. Até em seu mundo ideal Henrique é dominado, embora consiga preservar sua individualidade; mas não dispõe de liberdade, uma vez que esta lhe é outorgada. E é preciso que assim seja, a fim de que o projeto atinja seu resultado positivo, isto é, promover a obediência filial. Mesmo transposto o desejo de liberdade e aventura para o mundo do sonho, a contradição não é evitada. Apenas muda o plano em que aparece: o universo ideal transforma-se num alçapão em que cai e é punido Henrique, até incorporar as regras que o converterão num homem útil à sociedade. É para ela que o menino é destinado, assim como o leitor, e o trânsito do sentido das palavras de Simão do âmbito de Henrique para o do destinatário configura, de uma vez por todas, sua intenção doutrinária.

Receita de vida na concepção do adulto, o texto não impede o mascaramento de sua ideologia contrária ao interesse da criança, ao se defrontar a cada instante com contradições entre a situação da personagem e as expectativas do narrador. A transferência dessas contradições de um nível a outro, na tentativa de alcançar uma solução final harmônica, evidencia que o problema permanece e atinge a composição literária. E demonstra o pacto ideológico possível no gênero a que o livro pertence. Este opta pela aliança com o mundo adulto e a condenação do herói ao percurso de uma via-sacra penosa, decorrência de sua atitude independente. Como é com este último que convive o leitor, o texto busca finalmente atingir sua obediência, que acompanha passivamente as indicações do narrador. Veiculação de regras e ocultamento do interesse da criança vêm aí acompanhados, revivendo a gênese da literatura infantil comprometida com a pedagogia e a formação moral.

Corda bamba, de Lygia Bojunga Nunes

Corda bamba, de Lygia Bojunga Nunes, justifica o contraponto com *A ilha perdida*, nos aspectos composicionais e temáticos. Um resumo de sua ação fornece os dados para a comprovação desta assertiva: Maria, filha de equilibrista de circo, mas neta de uma dama da sociedade carioca, fica órfã e vem morar com a avó. É calada e está atrasada nos estudos, o que leva sua tutora a providenciar aulas particulares para a menina. Não se interessa pelos estudos, mas por descobrir o que se esconde atrás de uma janela que vê de seu quarto. Usando as habilidades de equilibrista, dirige-se para lá, saltando a distância que a separa do outro lado. Encontra um corredor com sete portas fechadas, uma de cada cor. A visita aos quartos permite descobrir o passado de seus pais até a morte deles, fato bloqueado em sua memória. A recuperação dos acontecimentos vinculados ao acidente de Márcia e Marcelo e a cura da amnésia possibilitam-lhe visitar quartos vazios, povoados por suas vivências e a construção de uma existência feliz.

O confronto com *A ilha perdida* pode ser procedido de acordo com os elementos espaciais, sociais e pessoais. Os cenários onde transcorrem as respectivas ações são bem diferentes: o livro de Maria José Dupré passa-se no campo, a céu aberto, prevalecendo a natureza e a vida selvagem. *Corda bamba* transcorre no Rio de Janeiro e, especialmente, num apartamento no nono andar de um edifício em Copacabana. Maria vê de sua janela "o quarto [que] dava pra uma área interna, só se via fundo de apartamento".[28] A condição de clausura é metaforizada pelo espaço de que ela só se afasta quando tem aulas particulares, sob a guarda de um cão feroz.

Se liberdade e prisão diferenciam os dois relatos com base no elemento físico, este configura ainda outro nível de civilização e história. Henrique, na fazenda, está junto à natureza e, de certo modo, ausente da história, uma vez que não há traços do tempo e da época no ambiente em que vive. O mundo rural, pelo contrário, aponta uma situação retrógrada que não se transforma, porque todos aceitam-na como irreversível, visto que o conformismo final acentua esta tendência. Maria vive o presente do circo mambembe, inserido na vida urbana; sua ação está regionalizada no Rio de Janeiro do presente, do qual foi excluída a natureza:

> Era hora de galo cantar, mas era Copacabana: não tem mais lugar pra quintal nem jardim, não tem mais lugar pra galo nenhum (p. 41-42).

---

[28] NUNES, Lygia Bojunga. *Corda bamba*. Rio de Janeiro: Civilização Brasileira, 1979. p. 39. As citações são retiradas desta edição.

É a esse fato que se liga a vida social e familiar das personagens, igualmente distinta, mas não tanto. Pois ambos, Maria e Henrique, são parentes de pessoas ricas, ligadas, por esta razão, à estrutura do poder. Todavia, ambos participam apenas de modo colateral desta engrenagem, devido ao caráter indireto de suas relações: Maria é neta de uma mulher rica, e o outro, sobrinho de um proprietário rural. Dessa maneira, embora compartilhem, por herança e condição social, da classe dirigente, não têm acesso direto a ela e ao poder.

Se esses aspectos corporificam a condição isolada dos heróis, a verificação de sua vida pessoal acaba por corroborá-la. A menina é órfã, não tem irmãos, e seus únicos amigos são Barbuda e Foguinho, afastados devido às andanças do circo. Henrique tem a companhia da família, depois apenas Eduardo e, finalmente, fica só com seu sonho, do qual não se livra mais. E, se a trajetória vivida pelos dois expande a diferença entre eles, configurada inicialmente pela oposição dos espaços, cabe antecipar que um fato os aproxima: a companhia da própria solidão.

O percurso de Maria ao longo do livro é quase que exclusivamente de ordem existencial e íntima. Cotejadas as ações sociais da personagem e as introjetadas, constata-se que estas predominam em larga escala. À vida exterior dela pertencem o momento de sua chegada à casa de Maria Cecília, seus diálogos telefônicos com Barbuda e a aula particular; o caráter insulado de sua vida transparece de antemão por estes fatos, uma vez que, tão logo chega ao apartamento da avó, não sai mais à rua. A tais acontecimentos se opõem as incursões ao corredor do outro lado, processo vivido por seu inconsciente,[29] o que ocupa a maior

---

[29] Cf. a propósito BORDINI, Maria da Glória. *Corda bamba;* caminho para o inconsciente de Maria. *Correio do Povo*. Porto Alegre, 27 de out. 1979. Caderno de Sábado.

parte do livro. É a ligação de sua janela à outra, "janela diferente das outras janelas todas [...] arredondada em cima, que nem um arco" (p. 25), que lhe permitirá romper com o claustro, mas sua jornada leva a uma outra interiorização, para dentro de si mesma.

A concentração dos eventos narrativos na mente de Maria decorre do processo por que passa: vítima de uma amnésia, é narrada a recuperação paulatina de seu passado, que culmina com a morte de Márcia e Marcelo. As portas que pouco a pouco abre representam os diferentes momentos de sua existência que precisa incorporar a seu ego, a fim de fortalecê-lo e ter meios de enfrentar uma realidade atual adversa. Por isso, as sete portas reproduzem as diferentes etapas de sua vida, desde o namoro entre o pobre pintor e a moça rica (primeira porta) até o acidente com os dois (sexta porta); a sétima é a que leva a menina ao encontro de si mesma: abre para um quarto vazio, que ela povoa com seus projetos e escolhas.

A utilização do espaço, que situava Maria num cenário urbano e no tempo presente, tem ainda uma dupla funcionalidade: sua estrutura metaforiza a condição solitária de Maria e simboliza sua libertação, que transcorre pela paulatina conquista do passado. Somente por intermédio dessa reconstituição a menina descobre quem é; a revelação lhe permite a autoconfiança e a passagem de uma atitude passiva e ensimesmada a um comportamento exigente e lúcido a respeito de si, das pessoas com que convive e de seu meio ambiente.

O espaço é o elemento construtivo fundamental do texto por apresentar concomitantemente a situação social da criança – sua clausura – e sua interioridade, na medida em que se vale de portas e janelas, corredores e quartos, para mostrar de modo simbólico a conquista a que procede a heroína e a implosão de sua claustrofobia. A caracterização da menina – introvertida, ensimesmada e tímida – completa o processo literário e dá-lhe coerência interna; não podendo irromper no mundo lá fora, é de dentro que ela retira suas forças, construindo seu desejo e consolidando uma palavra autônoma, que se expressa ao final, na conversa com Pedro.

O processo artístico promove a interpenetração de dois tipos de recurso: um simbólico; outro narrativo. O primeiro, relacionado ao uso do espaço, expande-se através da incorporação dos objetos com que lida Maria. Como se trata de atar as pontas de sua vida por meio da circulação no inconsciente, cuja expressão foi bloqueada pelo acidente, introduzem-se no relato objetos que manifestam este poder de união: o mais evidente é a própria corda, "calçadão" (p. 48) de Maria, que a leva ao encontro de si mesma. É o traço de união que amarra passado e presente, mas que simboliza igualmente o cordão umbilical que prende a menina aos pais. Desse modo, a volta ao passado significa uma liberação diante do sentimento de abandono, motivado pela perda da família. Em outras palavras, essa autoconfiança advém de uma ruptura com o mundo dos pais, e o assumir da identidade desemboca na solidão.

Se a corda é o instrumento de ligação que vem a ser suprimido ao final, este fato vem acompanhado por sua substituição pelo barco. Esse fora o símbolo da união entre Márcia e Marcelo, assim como o lugar do nascimento de Maria; e é a seu encontro que vai a menina, ao decidir a viagem de férias à Bahia:

> E depois de tudo ela botou, lá bem no fundo, um barco; e botou uma ponte indo até o barco. Uma ponte tão fininha, que depois ela ficou pensando se era ponte mesmo ou se não era a corda. No barco tinha um homem chamando ela. Ela foi (p. 124).

O barco, símbolo da liberdade, contém, no interior da palavra, outro objeto decisivo na vida de Maria: o arco, instrumento que lhe permite o equilíbrio na corda. Assim, significando também um elemento de ligação por sua natureza circular, representa a condição de a menina manter-se sobre seus próprios pés, conforme transparece nos capítulos iniciais da obra. Enfim, a importância do arco e sua vinculação à liberação ainda aparece na descrição da janela que atrai Maria, encimada por um arco.

Arco e barco são, pois, os meios da mobilidade da heroína e condição de seu equilíbrio interior, unificando os momentos de sua vida. Vinculados ao mar, com o qual ela sonha, seu sentido liberador se amplia, o que justifica a aspiração de viajar ao encontro dos pescadores da família de Barbuda. Contudo, os recursos simbólicos não se esgotam aí, já que o signo MAR está contido na denominação das personagens: MARia, MÁRcia, MARcelo. Outra vez, trata-se de uma viagem ao encontro de si mesma e dos pais, cadeia interminável dentro da qual orbita a jovem.

Sua mobilidade é então visivelmente circular, como seu arco, num processo que se estende do conhecimento de si ao avanço sobre o real, evitando um rompimento entre estes polos, a fim de garantir seu equilíbrio. Todavia, esse conhecimento que, num primeiro momento, levou-a à ruptura com o passado, trocando os quartos ocupados por ambientes vazios que preenche a gosto, acaba desenhando uma circunferência perfeita, em que o ponto de chegada coincide com o começo; e Maria retorna ao mar, princípio gerador de seu eu, desencadeador da vida em comum de seus pais e gênese de todas as coisas.

Privilegiando a consolidação do eu, a trajetória de Maria culmina numa comunidade ideal, representada pela família primordial, desvinculada do tempo e do espaço. Fortalecimento do ego e confiança no passado familiar caminham juntos, portanto, e são a condição da integração ao mundo adulto. Este vê-se cindido em dois campos: o dos adultos bons, papel preenchido por seus pais e, posteriormente, por Barbuda e Foguinho, todos oriundos da vida circense; e dos adultos maus, desempenhado pela avó, Dona Maria Cecília Mendonça de Melo, e pela professora, Dona Eunice.

Ambas configuram a autoridade ("dona") por excelência. Maria Cecília separa a neta do universo circense, onde era feliz; reprime, pois, a menina, ao romper o último vínculo que a prendia ao passado. Em vista disso, a recuperação a que procede a menina significa também desobedecer a avó: não apenas porque o faz por meio de sua habilidade circense, como porque torna a unificar sua vida presente à dos pais perdidos. O caráter dominador da avó é desdobrado ao longo da história e refere-se igualmente à sua vida pessoal, já que tentou controlar os maridos e a filha. O paradoxal é que Maria Cecília é uma tirana malsucedida: o único marido que conserva é Pedro, em quem não manda; Márcia foge de casa, voltando depois por meio de Maria, que também escapa a seu domínio.

Esses fatos relativizam a crítica à autoridade pretendida por meio dessa personagem; sua inoperância é sinal de falência, exigindo um reforço que vem a ser ocupado pela professora particular. A índole dominadora do mundo adulto (e do ensino, em especial) avulta na construção desta figura ficcional: acompanhada de um cachorro assustador para Maria, incapaz de se comunicar com a aluna, transmite-lhe um saber abstrato (suas lições versam sobre matemática e geometria) e incompatível com a situação da ouvinte, sempre desatenta.

A presença do cão de guarda, metonímia da mestra, corporifica o papel autoritário do ensino. Ameaçando a cada instante a menina, que tem desviada sua concentração entre não se deixar morder e agradar à professora, o que tanto pode se dar mediante uma resposta correta como um comportamento conveniente. A divisão interior da garota traduz-se pela construção do diálogo, desdobrado na perspectiva interna e externa de Maria:

> – Mas, olha, Maria, eu quero que você use o MMC.
> – MMC? (Ai, como a perna tava esquisita! Como ia ser bom sacudir ela bem.)

> – Menor múltiplo comum. Ou será que você já esqueceu?
> – Não esqueci, não. (Mas de que jeito? Se sacudia a perna, ela batia no cachorro.)
> – E o MDC?
> – MDC? (E se a perna batia... e o cachorro, não mexia?)
> – É.
> – Que que tem? (Bom, se ele não mexia...)
> – Você está bem lembrada do MDC?
> – Tô, sim senhora. (... é porque tinha mesmo morrido baixinho.)
> – Então vamos ver: faça aí as operações (p. 54-55).

O adulto autoritário é alvo da ironia da narrativa. De um lado, a superficialidade de Maria Cecília, preocupada antes com sua aparência e o exercício de seu poder, estéril em afeto e dividindo o mundo entre dominantes, onde pensa se incluir, e dominados, onde se encontra, pelos aspectos acima citados; e de outro, a professora, guardiã de um saber desumanizado. Ambas esperam de Maria a obediência e obtêm dela o medo. Do contraste entre tais atitudes, o relato alcança um efeito paródico do adulto, que o desautoriza ao revelar sua prepotência.

A comicidade de algumas cenas – e principalmente do capítulo referente à aula particular – tem como meta a crítica das personagens envolvidas. E é obtida pelos recursos narrativos, apesar de a focalização proceder de Maria.

A utilização de um foco narrativo identificado à perspectiva de Maria decorre das exigências do próprio relato. Carecendo a menina de uma ação pública e vivendo um processo exclusivamente mental, emerge como necessária a coincidência entre o fluxo do pensamento (ou sonho, como se verá) e o da narrativa. Todavia, há cenas em que se abre uma alternativa devido à introdução de novas personagens: ou a manutenção da visão ou a troca. Nos dois diálogos telefônicos com Barbuda, ocorre a mudança; no primeiro, o relato acompanha o ponto de vista da moça que vive os percalços de um telefone público. Além de contrapor o movimento externo da rua ao encarceramento de Maria, o narrador pode-se omitir de examinar as reações daquela às palavras de Barbuda, acentuando as dificuldades de comunicação. Maria não consegue expor seus problemas, e a outra não alcança uma confissão completa, porque cai a ligação. É dada, pois, ao leitor a oportunidade de esboçar uma imagem dos dilemas vividos pela heroína, cada vez mais só com o afastamento do circo.

O segundo diálogo telefônico omite um narrador. Este oculta-se totalmente atrás da fala das personagens, mas continua manipulando a confissão de Maria: cabe a essa formular a recuperação da memória, o que acontece ao final da conversa, sem que Barbuda consiga entender do que se trata. Portanto, é ao leitor que a revelação é feita, de modo que, embora o narrador não intervenha nem por meio dos verbos *dicendi*, assiste-se à sua operação delicada, movendo o relato na direção das palavras finais de Maria.

Assim, se a focalização obedece ao comando de Maria, acompanhando sua trajetória, percebe-se que a visão não coincide com a dicção do texto. O narrador mantém sua autonomia em relação à personagem e ainda constrói, para além dela, um leitor a quem determina um papel ativo. É este quem reconstrói o percurso existencial da menina, organiza a cadeia temporal e antecipa sua liberação, confirmada depois pela confissão a Barbuda. Nessa medida, ao leitor cabe a reprodução da aventura de Maria, mas não a identificação, uma vez que seu diálogo implícito faz-se com o narrador, e não com a personagem, conforme mostra a cena ao telefone.

Por isso, o relato pode ainda obter efeitos cômicos, incompatíveis com o texto se este fosse narrado numa falsa primeira pessoa, isto é, se focalização e narração coincidissem integralmente. Na cena da aula particular, o fato é visível. O narrador identifica sua visão com a de Maria: é esta quem se sente atraída pelos detalhes que desviam sua atenção, temendo ao mesmo tempo o avanço do cachorro:

> O olho de Maria foi procurar o número da página mas encontrou a mão da Dona Eunice no caminho. Dedo cheio de anel. E cada unha grande assim, pintada de vermelho escuro. A unha do dedo que aponta ficava puxando uma pelezinha que tinha do lado da unha do polegar. Puxava, puxava, às vezes doía e Dona Eunice gemia baixinho, distraída, ui (p. 51).

Todavia, ao olhar de Maria se sobrepõe um outro olhar, que observa a menina a distância, de fora, mas que, concomitantemente, interfere em sua intimidade:

> O canário na gaiola cantou; Maria olhou. A gaiola estava pendurada na janela, batia sol no canário, ele parou de cantar e começou a pular pra um lado e pra outro, será que ele queria sair? Mas a porta estava fechada, uma gaiola de nada, como é que prendiam ele assim apertado com tanto lugar pra voar? Escutou a voz da Dona Eunice:
>
> – Mas antes você me diz se esses números são divisíveis por três, por dez e por mil.
>
> Antes? Antes por quê? O que é que ela tinha falado primeiro? Será que ela tinha explicado muita coisa? (p. 52).

O trecho é ilustrativo para a descrição do processo narrativo, uma vez que a cena é vista simultaneamente de fora e de dentro. O interior é dado pela visão que Maria tem da professora: é ela quem escuta Dona Eunice, e a denominação da mestra, antecedida pelo "Dona", provém igualmente da menina. No entanto, o exterior está presente e indica a presença de um outro, que vê Maria olhando para o canário (ainda que este seja outro símbolo de sua própria condição), fato não observado pela professora cuja intimidade mantém-se inacessível.

O dentro, por sua vez, provém da interferência do discurso de Maria na fala do narrador. Invertendo o modelo do relato onisciente, que se apropria do pensamento das personagens por meio dos "verbos de processos internos",[30]

[30] A denominação é de Käte Hamburger e designa os verbos sentir, pensar, refletir e outros, que denotam a penetração pelo narrador na interioridade da personagem, fato somente possível na ficção narrativa. Cf. HAMBURGER, Käte. *A lógica da criação literária*. São Paulo: Perspectiva, 1975.

são as perguntas de Maria que se introduzem na mensagem do narrador, reduzindo a distância, mas não evitando a separação entre estes dois seres ficcionais.

Por essa razão, trata-se de uma cena a que o narrador assiste, mas cujo privilégio é atenuado pela interferência do discurso de Maria. É esta quem revela sua própria desatenção; suas atitudes desastrosas são conhecidas, na maioria das vezes, pelas palavras com que se descreve, tentando escapar a uma punição maior. Optando, pois, por alternar a descrição da situação de Maria com suas reações interiores, o narrador obtém um balanço entre sua presença e a autonomia da personagem. Simultaneamente, concede um espaço à interpretação do leitor, de modo que o discurso revela-se aberto à participação da criança, representada pela heroína ou pelo recebedor. Todavia se tais sujeitos estão em igualdade com o narrador, não deixam de se patentear dois níveis distintos: o da cena, de que tomam parte Maria, Eunice e o cachorro; e o da assistência, presentes o narrador e o leitor. O desdobramento dos emissores não impede a diferença espacial, e isto possibilita o distanciamento cômico, em que o leitor reconhece os acontecimentos, identifica-se com eles, mantendo, porém, sua autonomia.

Focalização e comicidade são aspectos composicionais basilares do texto. Por meio do primeiro, o narrador obtém a manifestação da perspectiva da heroína dentro da narração. Identifica-se com ela, com sua percepção de mundo e, sobretudo, sua visão do adulto. A transmissão de normas converte-se numa impossibilidade, o que é reforçado pelo fato de que a consolidação de uma identidade por Maria resulta numa rejeição dos cânones impostos a ela e na busca de uma vida autônoma.

Por sua vez, é da presença do cômico que se formula o lugar do leitor. Este retira um sentido do texto de acordo com a linha de ação de Maria; mas seria paradoxal se esta trajetória fosse oferecida a ele como um caminho necessário. Se a afirmação pessoal tem como consequência a manifestação da individualidade, a expectativa de uma identificação enfraqueceria este objetivo, convertendo a heroína num modelo. Por isso, cabe ao leitor conservar um espaço só seu dentro do texto, análogo ao quarto vazio da garota. Assim, o narrador manipula os eventos, a fim de que seja o leitor quem, compartilhando como espectador da sorte da menina, alcance uma interpretação dos acontecimentos unicamente sua, sem comentários explicitadores.

Tal seria o efeito emancipatório do texto, coincidindo com a liberação por que passa a equilibrista. Temática e recursos literários coincidiriam, alcançando uma unidade na ruptura com um padrão vigente, tanto no comportamento da criança, que não se configura em exemplo a ser seguido, como no tratamento do narrador, que deixa uma série de lacunas para o preenchimento do destinatário. Este, como Maria, percorre uma trajetória do desconhecimento ao saber, recompondo o passado e o futuro da protagonista. Todavia, cabe salientar que o passo final da narrativa contradiz o projeto inteiro: nos derradeiros parágrafos do texto, o narrador se apropria da dicção do relato, fazendo uma projeção do futuro e colocando nele a atitude fundamental conquistada pela menina:

> O tempo foi passando, mais portas vão aparecendo, e Maria vai abrindo elas todas, e vai arrumando cada quarto, e cada dia arruma melhor, não deixa nenhum cantinho pra lá. Num quarto ela bota o circo onde ela vai trabalhar; no outro ela bota o homem que ela vai gostar; no outro os amigos que ela vai ter. Arruma, prepara: ela sabe que vai chegar o dia de poder escolher (p. 125).

O último parágrafo indica a grande vitória: a obtenção de um poder, o de escolha, assim como a interferência no próprio destino. Contudo, como é enunciado? Não pela voz de Maria, mas pelo discurso do narrador que, neste momento decisivo, impede a emissão pela heroína de seu projeto existencial, convertendo-o, pois, em objeto de seu arbítrio. É o que relativiza sua intenção libertária, caçando a palavra do outro, quando este pretende dar conta de seu futuro, e convertendo-o, ainda que por um breve instante, em modelo a ser seguido.

A contraposição com *A ilha perdida*, procedida no início, anunciava as diferenças e as aproximações entre os dois textos. Essas se configuram inicialmente por meio dos protagonistas centrais, que vivem uma situação semelhante: pertencem aos estratos superiores da sociedade e passam por uma experiência decisiva, da qual retiram regras de conduta para a vida futura. A diferença está em que, em *Corda bamba*, o caráter exemplar não passa para o leitor, uma vez que explora a separação entre a personagem e o recebedor. Além disso, a consequência da aventura de Henrique é a aceitação dos padrões adultos, o conformismo e a obediência, enquanto Maria adquire autonomia, autoconfiança e ruma à construção de seu mundo pessoal, livre da interferência alheia, quando esta representa dominação e autoritarismo. Assim, da transmissão de modelos oriundos da órbita adulta e patriarcal passa-se à construção de normas pessoais, provenientes da experiência, o que se oferece como um deciframento para o leitor e não enquanto objeto de identificação.

A obtenção de um lugar ativo no texto pelo leitor não depende apenas do deciframento; a ele cabe aceitar ou não a crítica ao mundo adulto e compreender as dificuldades de Maria. Tal leque de alternativas (feita a ressalva ao final) não existe em *A ilha perdida*, o que assinala o aspecto renovador de *Corda bamba*. Contudo, há ainda um índice de aproximação entre os dois relatos, que oferece outros dados à oscilação entre normatividade e ruptura vivida pela literatura infantil.

Embora Henrique e Maria vivam espaços radicalmente diversos, sua aventura tem um lado em comum: transcorre na fantasia. Em *A ilha perdida*, o caráter onírico é ambíguo, podendo ser interpretado igualmente como verídico, sem prejuízos para a verossimilhança do relato. *Corda bamba* vale-se da mesma ambiguidade, porém de modo mais rico, uma vez que é no sonho de Quico, seu primo, que Maria começa a andar na corda:

> Todo o mundo estava dormindo, era um sonho quieto, muito quieto.
>
> Quico viu Maria sair da janela e pegar o arco da flor. Flor de tanta cor. Viu Maria olhando pro arco; depois ela voltou pra janela e ficou espiando pra baixo. Por que Maria ia e vinha, assim de lista e pé no chão, olhando tudo tanto? Maria botou o arco na cadeira, foi pra baixo da cama, saiu com o rolo de corda. Desenrolou.
>
> [...]
>
> Quico viu. Viu direitinho a corda laçando uma antena de televisão de um edifício bem em frente.
>
> Maria puxou a corda com força pra ver se estava bem presa. Esticou ela bem. Se debruçou na janela; parecia que estava amarrando a corda (p. 42).

A ambiguidade cresce na conclusão do capítulo:

> A corda cedeu. Quico viu Maria ir ficando mais baixa. E aí não quis mais olhar: enfiou a cara no travesseiro pra não ver mais sonho nenhum, pra acordar de uma vez.
>
> Ficou de cara enfiada no travesseiro e logo depois dormiu.
>
> Acordou. Sonhou. Acordou. Dormiu.
>
> Maria foi seguindo na corda com as andorinhas atrás (p. 43-44).

Alternando os sonhos (de Maria para Quico e deste para a menina) e as situações de dormir e acordar, o narrador permite uma leitura tanto fantástica quando verídica do texto, sem prejudicar sua estrutura global. Além disso, introduzindo o relato de Barbuda, que conta como Maria dormiu vários dias após a morte dos pais, advindo daí sua amnésia, fica antecipada a circunstância de que a equilibrista precisará refazer este ato para superar seu efeito. Assim, o esquecimento será substituído pela recordação por intermédio do mesmo remédio: o sono.

Como em *A ilha perdida*, a fantasia tem um efeito reparador: no universo fantástico, a personagem passa por uma transformação individual que a prepara para o confronto com a realidade e o mundo adulto. E é igualmente esse o lugar da formulação do ideal: o universo utópico, harmônico, que lhe permite sintetizar experiências e desejos, alcançando tranquilidade interior.

O último quarto mobilado por Maria tem este significado: advém de uma vitória sobre si mesma, estando isento de uma concessão adulta. Por isso, tem pleno domínio sobre ele, que está livre de qualquer conteúdo repressor. É o que a distingue de Henrique, que, na ilha, viu-se cativo de um eu ideal, até desejar ser expelido dela; e que converteu a experiência vivenciada num paraíso perdido, acessível apenas na imaginação, mas não mais comutável em realidade.

A reabilitação e confiança na fantasia infantil é a principal vitória de Maria e de *Corda bamba*. Torna-se um reduto de onde a menina retira forças para enfrentar o mundo adulto e onde não habitam a autoridade e a repressão. A garota não se vê punida em seu universo fantástico, ao contrário de Henrique, nem precisa se desfazer dele, para aceitar o mundo adulto. Endossando o mundo da criança e valorizando as situações em que ela se libera da punição adulta, introjetada no caso de Henrique, reprimida no caso de Maria, quando inicia a narrativa, *Corda bamba* isenta-se de um conteúdo normativo, abrindo o relato às interpretações do leitor. E, por meio deste e de sua participação, a fantasia recebe um novo estímulo, não para o encerramento no contorno do livro, mas para o confronto pessoal com a realidade.

Literatura Infantil: Fantasia e Exemplaridade

A abordagem da literatura infantil do ângulo de seu relacionamento com o leitor supõe uma verificação em duas etapas:

a) da constituição de um universo ficcional, centrado na personagem;

b) da projeção produzida pelo narrador de um papel para o destinatário.

Tais atividades transcorrem simultaneamente, porque, devido à circunstância particular do gênero, o herói atua como indicador da condição de seu recebedor. Assim, a averiguação leva em conta, de um lado, as relações entre o protagonista e o mundo (adulto), e, de outro, como este fato mimetiza os confrontos da criança com a realidade, a atuação do narrador que converte o narratário num papel desenhado pelo relato. Dessa forma, o discurso desse não pode ser negligenciado, cabendo o exame de sua concessão ou não de um lugar para o processo de deciframento do leitor.

Esses dois aspectos – referentes à representação social da infância e à diligência menos ou mais liberal do narrador – podem ser verificados nas obras analisadas. Todas se caracterizam pela apresentação de uma certa vivência comum do herói: a passagem da realidade à fantasia e posterior retorno[31] por uma viagem (Dorothy; os Darling; Fernando) ou uma saída de casa (Henrique; Maria; Basílio). Todos, de alguma maneira, fogem do lar, a maioria deles de modo voluntário (a exceção é Dorothy, conduzida por um ciclone). Os habitantes do Sítio do Pica-pau Amarelo vivem de antemão fora de casa, pois Pedrinho e Narizinho estão lá em férias; mesmo assim, a narração da história por Dona Benta tem efeito idêntico, levando-os a terras longínquas.

A saída, como, às vezes, uma fuga, porque provém de uma transgressão à ordem (Henrique; Eduardo; Maria), não

---

[31] Bruno Bettelheim atribui ao conto de fadas esta sequência, o que demonstra em que medida a literatura infantil é a legítima sucessora daquela forma narrativa.

é escapista, pois desencadeia a consolidação da personalidade. Esse fato supõe uma atividade bidirecional: de um lado, rumo à autoafirmação, enquanto confiança em si mesmo e reconhecimento do grupo; é o que se passa com Dorothy, Maria e, de modo mais tênue em *Peter Pan*, com as crianças do Sítio. E, de outro, rumo à aceitação das regras do mundo adulto, de obediência, reclusão no âmbito da família e conformismo com sua condição existencial; são os casos paradigmáticos de Fernando, Basílio, Henrique, Eduardo, os Darling e os Meninos Perdidos.

O relacionamento com o mundo adulto liga-se estreitamente à confirmação da ideologia familista. Por isso, é válida a averiguação do estado pessoal das personagens, que se dividem em órfãs (ou cujos pais não são mencionados) e crianças que vivem com os genitores, conforme o quadro abaixo:

	ÓRFÃOS OU SEPARADOS DOS PAIS	FILHOS QUE VIVEM COM OS PAIS
O mágico de Oz	Dorothy	–
Peter Pan	Pedrinho Narizinho Emília Visconde Peter Pan Meninos Perdidos	Wendy Napoleão Miguel
As aventuras do avião vermelho		Fernando
*A vida do elefante Basílio**		Basílio
A ilha perdida	Henrique Eduardo	
Corda bamba	Maria	

* Na sequência analisada.

Examinando o destino dos heróis agrupados na coluna da direita, verifica-se que todos eles voltam para casa e a aprendizagem que retiram de sua excursão fantástica é a conformação à vida familiar. Em *Peter Pan*, na versão original, isso significa igualmente a aceitação da temporalidade como envelhecimento e perda do estado paradisíaco; e, em *A vida do elefante Basílio*, a satisfação com a forma física imperfeita, devido ao insucesso da revolta.

Os agentes reunidos na coluna central não apresentam respostas idênticas, matizando a tipologia, que pode ser dividida em três subgrupos, com base nas reações dos heróis diante do confronto com o mundo adulto:

a) Dorothy representa a personagem ativa, cuja liberdade, decorrente da orfandade e separação do lar, leva-a a defrontar-se com uma ordem adulta, reciclando-a e impondo valores igualitários;

b) os moradores do Sítio, Peter Pan, Henrique e Maria configuram o segundo tipo, manifestando sua insatisfação com a vida presente – infantil – por meio da fantasia, mas realizando suas aspirações tão somente neste plano; advém daí uma separação entre o sonho e a realidade, no qual a criança não tem oportunidade de atuar. Justifica-se a revolta, mas não é oferecida ao rebelde a chance de uma atuação real. Maria é a única personagem que transporta suas vivências oníricas para o campo familiar, provocando modificações, embora estas sejam relativas exclusivamente à sua situação pessoal;

c) Henrique compartilha com todo o grupo a liberdade originária da ausência dos pais; porém, como acontece com os Darling e Basílio, compreende que os adultos sempre têm razão e que, portanto, deve adaptar-se a seus valores e expectativas. Seu castigo diante da transgressão e o sentimento de culpa colocam-no no paradigma dos conformistas.

As personagens tematizam nos livros a condição da criança, determinando o lugar que a fantasia desempenha em sua vida e representando o relacionamento com os adultos, sejam pais, professores ou governantes.

A fantasia é o setor privilegiado pela vivência do livro infantil. De um lado, porque aciona o imaginário do leitor; e, de outro, porque é o cenário no qual o herói resolve seus dilemas pessoais ou sociais. Consequentemente não é a saída que coloca o herói perante o mundo, mas sua volta; o primeiro movimento leva o protagonista ao encontro de si mesmo – esta é sua grande aventura, a qual lhe permitirá enfrentar o contexto circundante, confiando em si ou conformado com sua falta de poder. Em razão disso, a fantasia configura a condição de funcionamento do gênero, pois este impõe um modelo narrativo que se desenvolve à medida que o protagonista abandona o setor familiar e ingressa em horizontes sobrenaturais, voltando depois à posição primeira, agora mais experiente ou sábio. Além disso, desencadeia o modelo de leitura da obra, pois tão somente pela ativação do universo imaginário da criança dá-se sua aceitação e deciframento. Em virtude de tal fato, mesmo lidando com eventos extraordinários, o relato precisa ter algo a dizer ao leitor, fundado na coerência da história e na validade dos conflitos que apresenta, fatores indispensáveis para sua comunicabilidade.

A apresentação do relacionamento com os adultos vincula-se à natureza ideológica da obra. Da oscilação entre a transmissão de normas – que denunciam a ingerência das concepções adultas na feitura do relato – e a discussão da validade das mesmas provém o caráter doutrinário ou não do texto. A veiculação de normas ou modelos de comportamento significa o compromisso com um grupo pedagógico e limita, de um lado, a contribuição da criança no texto; de outro, restringe seu valor artístico. Tal fato tem ainda uma repercussão no leitor: na medida em que impõe igualmente modelos para leitura e interpretação dos eventos, bloqueia a participação do destinatário, convertendo-o em objeto passivo da exemplaridade da história.

Se se verifica unidade entre o estreitamento da intervenção do leitor e a conversão do herói aos valores adultos, percebe-se a homologia na obra literária entre os níveis narrativo e ideológico. O primeiro é representado pela construção do narrador que, enquanto ente ficcional, pode exercer um maior ou menor poder sobre a atuação da personagem e das disposições do leitor. O recurso aos comentários ou afluência de lacunas são os polos entre os quais o narrador oscila, e a quantidade de um ou outro indicia o tipo de domínio que exerce sobre o deciframento da história do protagonista e, por extensão, do narratário. Esse fato revela o trânsito do âmbito ficcional ao social – da personagem ao leitor que, embora uma projeção do texto, é um lugar que vem a ser preenchido por um indivíduo real. Portanto, da manipulação do leitor implícito passa-se ao controle sobre um ser humano – uma criança. Desse acontecimento que decorre do nível ideológico do texto, desvelando o caráter eventualmente dominador da literatura. Por sua vez, tal ocorrência simultânea legitima a divisão metodológica procedida, opondo a representação infantil à veiculação de normas adultas enquanto interesses antitéticos que são filtrados pela obra de arte, cabendo examiná-los num livro.

O narrador consiste na figura-chave deste processo, pois exerce a atividade desencadeadora da narrativa. Contudo, o ato primário invoca o leitor necessariamente, dando-se a comunicação somente quando avultam os dois sujeitos. Evidencia-se a unidade concomitantemente composicional e dialógica do fenômeno literário, que circula do plano ficcional ao ideológico com base em sua estrutura, independentemente da sociedade que a produz ou que a reflete. E patenteia-se ainda, quando se trata de literatura infantil, a condição comprometida do gênero que, mais que qualquer outra forma narrativa, conhece seu destinatário e sabe como e onde atingi-lo.

Decorre daí o último item referente à direcionalidade rumo ao leitor: a literatura infantil converte-se num dos responsáveis diretos pela configuração de um horizonte de expectativas na criança. Ao contrário das outras modalidades artísticas, que se defrontam com um horizonte solidificado, a literatura infantil possui um tipo de leitor que carece de uma perspectiva histórica e temporal que lhe permita pôr em questão o universo representado. Por isso, ela é necessariamente formadora, mas não educativa no sentido escolar do termo; e cabe-lhe uma formação especial que, antes de tudo, interrogue a circunstância social de onde provém o destinatário e seu lugar dentro dela. Nessa medida, o gênero pode exercer o propósito de ruptura e renovação característico da arte literária, evitando que a operação de leitura transforme seu beneficiário num observador passivo dos produtos triviais da indústria cultural. Em outras palavras, pode impedir que seu leitor se torne um dissidente da literatura e arte de seu tempo e um mero consumidor de uma cultura despersonalizada.

TRANSITORIEDADE DO LEITOR E DO GÊNERO

Confundida frequentemente com o livro didático, o conto de fadas ou a história em quadrinhos, a literatura infantil necessita, inicialmente, para sua definição, de uma demarcação de seu alcance e uma fixação de seus limites. Como um dos produtos culturais que a sociedade contemporânea oferece à criança, ela se vê imiscuída ou àquilo que não pertence integralmente ao mundo infantil (história em quadrinhos, por exemplo) ou, dando-se o contrário, parece abarcar o que não diz respeito, com legitimidade, à literatura; é quando se converte em sinônimo de teatro infantil ou transforma-se em instrumento de ensino, diversões públicas ou jogos. Enfim, devido à sua produção maciça em nossos dias, quando praticamente inexistia antes do século XVIII, tem seu eventual valor estético contestado, relegada ao setor da literatura trivial e da cultura de massa.

Por todos esses fatos, uma conceituação da literatura infantil significa concomitantemente uma marcação de fronteiras e o desenho de um campo de trabalho, diverso, de um lado, das formas não literárias e, de outro, daquilo não especificamente dedicado ao leitor infantil. Uma verificação no âmbito histórico e no conteúdo do termo composto literatura infantil fornece os indícios para sua caracterização.

Gênero incompreensível sem a presença de seu destinatário, a literatura infantil não pôde surgir antes da infância. A configuração diferenciada dessa fase etária data de época recente. Como escreve Dieter Richter, para o homem anterior à Idade Moderna, que repartia com velhos e jovens as tarefas na lavoura e manufaturas, as divisões hoje conhecidas como infância ou adolescência inexistiam:

> Na sociedade antiga, não havia a "infância": nenhum espaço separado do "mundo adulto". As crianças trabalhavam e viviam junto com os adultos, testemunhavam os processos naturais da existência (nascimento, doença, morte), participavam junto deles da vida pública (política), nas festas, guerras, audiências, execuções, etc., tendo assim seu lugar assegurado nas tradições culturais comuns: na narração de histórias, nos cantos, nos jogos. Somente quando a "infância" aparece enquanto instituição econômica e social, surge também a "infância" no âmbito pedagógico-cultural, evitando-se "exigências" que anteriormente eram parte integrante da vida social e, portanto, obviedades.[32]

A ascensão da ideologia burguesa a partir do século XVIII modifica esta situação: promovendo a distinção entre o setor privado e a vida pública, entre o mundo dos negócios e a família, provoca uma compartimentação na existência do indivíduo, tanto no âmbito horizontal, opondo casa e trabalho,[33] como no

---

[32] RICHTER, Dieter. Til Eulenspiegel – der asoziale Held und die Erzieher. *Kindermedien. Asthetik und Kommunikation*. Berlim: Asthetik und Kommunikation Verlag, n. 27, abril de 1977.

[33] V. a propósito BENJAMIN, Walter. Paris, capital do século XIX. In: LIMA, Luiz Costa. *Teoria da literatura em suas fontes*. Rio de Janeiro: Francisco Alves, 1975.

vertical, separando a infância da idade adulta e relegando aquela à condição de etapa preparatória aos compromissos futuros. Fomentando a necessidade da formação pessoal de tipo profissionalizante, cognitivo e ético, a pedagogia encontra um lugar destacado no contexto da configuração e transmissão da ideologia burguesa.

A literatura infantil emerge dentro desse panorama, contribuindo para a preparação da elite cultural, pela reutilização do material literário oriundo de duas fontes distintas e contrapostas: a adaptação dos clássicos e dos contos de fadas de proveniência folclórica.

Conto de fadas e literatura infantil são frequentemente confundidos e tornados sinônimos. E a maioria dos estudiosos, ao lidar com o primeiro, considera aprioristicamente a criança como seu público natural, uma vez que, como descreve Dieter Richter e Johannes Merkel, "a definição de contos de fadas (*Märchen*) não é dada nem pela forma literária, nem pela relação sócio-histórica em que aparecem estas narrativas, mas depende afinal de ser ele apropriado ou não para as finalidades da educação infantil burguesa".[34] No entanto, advertem os autores, a situação nem sempre aconteceu assim:

> Primitivamente, os contos folclóricos colecionados pelos Irmãos Grimm e outros não eram "fabulosos", nem restritos a uma certa idade. "O conto, em princípio, era contado por e para adultos (na Alemanha, tanto por homens, como por mulheres). Os narradores faziam parte, via de regra, das classes mais pobres: eram empregados, pequenos arrendatários, marinheiros, diaristas, lavradores, artífices, pastores, pescadores e também mendigos."[35] São as classes mais baixas que escutam e narram os contos.[36]

---

[34] RICHTER, Dieter; MERKEL, Johannes. *Märchen, Phantasie und soziales Lernen*. Berlin: Basis Verlag, 1974. p. 41-42.

[35] HELMICH, Wilhelm. Die erzählende Volks – und Kunsdichtung in der Schule. *Apud* RICHTER, Dieter; MERKEL, Johannes. Op. cit., p. 44.

[36] RICHTER, Dieter; MERKEL, Johannes. Op. cit., p. 44.

Desse modo, nem os contos de fadas eram para crianças, nem faziam parte da educação burguesa: "o conto de fadas folclórico sempre se liga de alguma maneira com a camada inferior e extremamente explorada, de modo que se pode perceber a conexão com a situação social e a condição servil".[37] É nesse sentido que, vinculado à sua origem, ele pode manifestar a rejeição do camponês submetido ao senhor feudal de suas condições de trabalho, embora expresse igualmente a impossibilidade de transformá-las, já que toda melhoria vivida pelo herói só decorre do emprego da magia e dos auxiliares fantásticos (fadas, cavalos alados, anões) a quem ele se subordina.

Adaptados pelos Irmãos Grimm, os *Märchen* sofrem ainda uma mudança de função: por um lado, transmitem valores burgueses de tipo ético e religioso e conformam o jovem a um certo papel social; por outro, é mantido o elemento maravilhoso enquanto fator constitutivo da fábula narrativa, uma vez que sem ele inexiste o conto de fadas;[38] todavia, esta permanência vincula-se à necessidade de que seja assegurado o valor compensatório do conto de fadas. Desse modo, é o maravilhoso que endossa, de modo substitutivo, a pequena participação da criança no meio adulto. Por meio da magia, ela foge às pressões familiares e realiza-se no sonho; porém, ao contrário do relato original, em que o fantástico revelava a vitória do camponês e a inevitabilidade de seus laços servis, nas narrativas dos Irmãos Grimm, ele propicia escapismo e a conformação:

> O conto de fadas, como é apresentado à infância, faz a criança acostumar-se, ou pelo menos deve acostumá-la, *a reagir na forma conformada de sonhos, quando desenvolve impulsos que estão em desacordo com a sociedade.*[39]

---

[37] Id., p. 44.

[38] V. a propósito igualmente LUTHI, Max. *Es war einmal.* Vom Wesen des Volksmärchen. Göttingen: Vandenhoeck und Reprecht, 1977.

[39] RICHTER, Dieter; MERKEL, Johannes. Op. cit., p. 65 (Grifo dos Autores).

Os autores ressaltam, todavia, a peculiaridade que oferece o conto de fadas, qual seja, a eventualidade de sua transmutação em instrumento emancipatório, na medida em que é capaz de sintetizar a organização do modelo social vigente e torná-lo compreensível:

> A atração do conto folclórico para a criança reside, como afirmamos, além de outros aspectos, na elaboração de um esboço compreensível da sociedade; isto é, a cada personagem é dado um papel definido em relação às outras, e sua posição é designada no contexto geral da organização social.[40]

É da presença do elemento maravilhoso que advém esta faceta do conto de fadas: tradução da fantasia, ele não aparece no texto como algo diferenciado, como um milagre, que pode ser assustador, na medida em que coloca o indivíduo diante do sobre-humano, mas é percebido como natural:

> Na saga e na legenda, o maravilhoso fascina, sacode, assusta ou anima, enquanto que, no conto de fadas, ele se torna natural. Na saga e na legenda, o milagre, o maravilhoso, nos deixa pasmados, sendo o ponto central de toda a narrativa, enquanto que, no conto de fadas, ele aparece em sequências maiores, torna-se episódico e perde, justamente por isso, seu peso.[41]

Percebido como constitutivo do real, adquirindo assim naturalidade, ele possibilita uma ruptura com os constrangimentos espaço-temporais, de modo que as personagens podem assumir um caráter simbólico:

> Príncipes e princesas são personagens de um simbolismo compreensível. Eles representam o indivíduo elevado.[42]

---

[40] Id., p. 101-102.

[41] LUTHI, Max. Op. cit., p. 29.

[42] LUTHI, Max. *So leben sie noch heute*. Betrachtungen zum Volksmarchen. Göttingen: Vandenhoeck und Ruprecht, 1976. p. 7.

> No conto de fadas, não é representado realisticamente, mas de modo figurado; assim, as personagens más não são percebidas como seres vivos, mas como símbolos do mal.[43]

Bruno Bettelheim igualmente salienta o caráter simbólico desse tipo de narrativa, assinalando ainda que decorre do fato a adequabilidade do gênero à criança, assim como sua índole exemplar dentro da literatura infantil.[44] Por sua vez, o autor vincula esta validade à noção de que o relato traduz, de modo imagético, os conflitos interiores do jovem, assim como suas possíveis soluções, de sorte que a leitura do texto pode levar ao reconhecimento e à superação do problema. Portanto, para ambos os escritores, é da função que a literatura pode exercer com a criança que advém sua justificativa e seu valor.

O mesmo aspecto é destacado por Richter e Merkel, quando veem no maravilhoso – presente num conto de fadas renovado, livre das imposições ideológicas que atuaram sobre os Irmãos Grimm – a possibilidade de representação da estrutura da realidade social (e não apenas psíquica, como quer Bettelheim) em entendimento do jovem. Dessa maneira tornar-se-ia acessível ao leitor o reconhecimento da organização da sociedade que o cerca, e sua complexidade poderia ser transposta, na medida em que o recurso ao fantástico oferece meios mais concretos de tradução de certos mecanismos sociais e econômicos.

A caracterização da literatura infantil com base em um prisma histórico revela as particularidades do gênero:

1) Sua especificidade decorre diretamente de sua dependência a um certo tipo de leitor, a criança. Resultado disso é sua participação num processo educativo; tanto é

---

[43] LUTHI, Max. *Es war einmal.* Vom Wesen des Volksmärchen: Göttingen, Vandenhoeck und Ruprecht, 1977. p. 84.

[44] V. a respeito BETTELHEIM, Bruno. *A psicanálise dos contos de fadas*. Rio de Janeiro: Paz e Terra, 1978.

assim, que só começou a existir a partir do momento em que surgiu a necessidade de se preparar os pequenos para o mundo, isto é, quando se originou uma preocupação com a criança enquanto tal. Desse modo, se o confinamento do livro infantil ao didático não é legítimo porque desconsidera o caráter ficcional e a submissão à norma estética pelo primeiro, o que lhe dá autonomia e natureza própria, ele tem um fundamento que não pode ser negligenciado, porque procede da índole histórica e ideológica da literatura infantil.

2) A constituição de um acervo de textos infantis fez-se por meio do recurso a um material preexistente: os clássicos e os contos de fadas. Foram estes últimos que se mostraram mais apropriados à execução da tarefa, por dois aspectos:

a) eles têm um conteúdo onírico latente, que corresponde às aspirações frustradas de uma certa camada social que, por suas condições peculiares, está condenada à inatividade, situação semelhante àquela compartilhada pela criança;

b) abriga a presença do elemento mágico de um modo natural, ao contrário da saga e da legenda (em que o fantástico é o milagre, signo da fragilidade e finitude humanas) e do mito (em que o evento sobrenatural revela a presença dos entes fundadores da realidade, os deuses e heróis divinizados, diferentes dos seres humanos). Assim, a magia torna-se um adjuvante do qual a personagem não depende existencialmente, mas que o auxilia a vencer as dificuldades; além disto, desacreditando as limitações de tempo e espaço, permite uma representação visível, concreta e simultânea de todas as facetas que constituem o universo da criança.

3) Se o conto de fadas se revelou o mais apto à formação de um catálogo de textos destinado às crianças, devido às qualidades mencionadas antes, isto significa que

a literatura infantil somente merece esta denominação quando incorpora as características daquele gênero. Embora esta conclusão pareça redutora, pertencem legitimamente à modalidade literária em questão preferencialmente aqueles textos que compartilharem as propriedades do conto de fadas, quais sejam:

a) a presença do maravilhoso;

b) a peculiaridade de apresentar um universo em miniatura.[45]

Resulta daí, em primeiro lugar, uma ampla desconfiança em relação à eventualidade de uma literatura infantil realista; e fica mais claro por que a história em quadrinhos é frequentemente considerada como produção literária apropriada às crianças, uma vez que, seja por meio do recurso ao super-herói, seja pela abstração das condicionantes de tempo e espaço, é reproduzido um universo semelhante ao do relato fantástico.

4) Por essa razão, a história da literatura infantil se confunde com a das transformações vividas pelo conto de fadas: no século XIX, havendo a preocupação em dotar os jovens com textos considerados adequados à sua educação, deu-se a reelaboração do acervo popular europeu, destacando-se especialmente a atuação dos Irmãos Grimm. Quando a moderna pedagogia passou a enfatizar a necessidade de uma formação emancipada das crianças, a literatura infantil respondeu com textos renovados, que procuram liberar a criatividade infantil, transmitindo ao mesmo tempo aos leitores uma mensagem progressista.

Pode-se afirmar, todavia, que a recíproca é verdadeira, pois não apenas ambos os gêneros evoluem juntos, como também não se pode mais pensar a narrativa de fadas fora do âmbito exclusivo da literatura para crianças.

---

[45] A expressão é de Max Luthi, quando diz "das Märchen ist ein Universum im Kleinem". Cf. LUTHI, Max. *Es war einmal.* Vom Wessen des Volksmärchen. Gottingen: Vandenhoeck und Ruprecht, 1977. p. 9.

5) Um último aspecto decorre daí: é que, visando à integração ao meio burguês ou à sua liberação e criatividade, a literatura infantil evidencia sempre a preocupação do adulto para com a criança. Nessa medida, trata-se de um tipo de comunicação assimétrica, em que é endossada a influência do primeiro sobre a segunda, uma vez que colabora na configuração de seus valores ideológicos.

A assimetria mencionada é revelada por Maria Lypp: assinalando que a literatura infantil não pode ser descrita fora do modelo da teoria da comunicação, uma vez que é uma modalidade que se define em razão de seu recebedor, a autora identifica a particularidade que aquela assume, em decorrência da circunstância de que o destinatário é uma criança:

> A particularidade mais geral e fundamental deste processo de comunicação é a desigualdade entre os comunicadores, estando de um lado o autor adulto e, de outro, o leitor infantil. Ela diz respeito à situação linguística, cognitiva, ao *status* social, para mencionar os pressupostos mais importantes da desigualdade. O emissor deve desejar conscientemente a demolição da distância preexistente, para avançar na direção do recebedor. Todos os meios empregados pelo autor para estabelecer uma comunicação com o leitor infantil podem ser resumidos sob a denominação de adaptação.[46]

Como se vê, se os livros destinados à infância têm sua origem histórica na adaptação, este fato decorre de sua própria natureza e mantém-se vigente em qualquer produção infantil. Por isso, ela transparece em todos os elementos do texto, conforme a descrição de Göte Klinberg, que identifica os seguintes ângulos na adaptação:[47]

---

[46] LYPP, Maria. Asymetrische Kommunikation als Problem moderner Kinderliteratur. In: KAES, Anton; ZIMMERMANN, Bernhard (Org.). *Literatur fur Viele I.* Göttingen: Vandenhoeck und Ruprecht, 1975.

[47] V. a propósito KLINBERG, Göte. *Kinder- und Jugendliteratur Forschung*. Eine Einfuhrung. Köln-Wien-Graz: Böhlaus Wissenschaftliche Bibliothek, 1973.

1) Adaptação do assunto: considerando que a compreensão de mundo do recebedor, assim como suas vivências, são limitadas, o escritor obriga-se a uma restrição no tratamento de certos temas, ideias ou problemas; do mesmo modo, é condição do sucesso do livro a presença de um conteúdo doutrinário que estimule o leitor do ponto de vista comportamental e conduza-o à aceitação de valores que colaborem em sua integração ao meio social.

2) Adaptação da forma: sempre visando ao interesse do leitor, assim como às condições especiais de sua percepção do real, é importante que a forma escolhida coincida com suas expectativas recepcionais. Nesta medida, o enredo deve ter um desenvolvimento linear e personagens que motivem uma identificação; por sua vez, são prescindíveis os *flashbacks* ou as interrupções do andamento para a introdução de conceitos ou ensinamentos morais. Cabe ao autor ainda manter a atenção, evitando trechos muito longos com descrições e adotando mecanismos de suspense pela intensificação da ação e da aventura.

3) Adaptação do estilo: o vocabulário e a formulação sintática não podem exceder o domínio cognitivo do leitor. Por isso, a preferência dos escritores é por um tipo de redação que coincida com as particularidades do estilo infantil. Numa pesquisa sobre a linguagem da literatura infantil, Bernhard Engelen constatou as predileções estilísticas das crianças, que agem como modelo linguístico para os escritores, comprovando a vigência dessa modalidade de adaptação:

> As estruturas sintáticas utilizadas pela criança são, como se sabe, relativamente simples e podem ser assim caracterizadas:
> Frases relativamente curtas.
> Elos frasais relativamente curtos.
> Poucas frases subordinadas, geralmente de primeiro grau.
> Utilização mínima da voz passiva.
> Utilização muito pequena de atributos mais complexos. [...]

> Utilização muito pequena de nominalizações mais complexas. [...]
>
> Utilização mínima do discurso indireto.
>
> Falta quase total de compostos nominais mais complexos.[48]

Como se pode constatar, estas estruturas sintáticas são próprias à expressão oral, verificando-se na literatura infantil o predomínio da oralidade sobre a linguagem escrita, somado à supremacia da expressividade afetiva sobre conceitual. Em razão disso, o escritor é levado muitas vezes a empregar a gíria ou o jargão popular, ao entender que a valorização da oralidade não precisa necessariamente estar compreendida pelo padrão linguístico culto.

Em consequência disto, tal é o estilo predominante na literatura infantil:

> Resultam assim, entre outras, as seguintes regras: preferência pela voz ativa, em vez de passiva; pelo discurso direto, em vez do indireto; frases curtas, em vez de longas; oração relativa, em vez de atributo complexo; frase subordinada ou algumas orações principais, em vez de uma nominalização mais complexa.[49]

Isso não significa que o escritor deva simplesmente transcrever o discurso infantil ao longo de sua criação, uma vez que a leitura pode conduzir à ampliação do domínio linguístico do jovem, retomando-se no plano da linguagem a função pedagógica inerente à literatura destinada às crianças. Engelen descreve como se dá este processo:

> Se a criança, no decorrer de seu desenvolvimento linguístico, encontra muitos exemplos com estruturas sintáticas mais complexas, que ela, devido ao seu conhecimento de mundo –

---

[48] ENGELEN, Bernhard. Zur Sprache des Kinder-und Jugend Buchs. In: LYPP, Maria (Org.). *Literatur fur Kinder*. Göttingen: Vandenhoeck und Ruprecht, 1977. p. 198.

[49] Id., p. 210-211.

portanto, a partir do conteúdo – pode decodificar corretamente, ela aprende igualmente, no mínimo de modo receptivo, a estrutura sintática correspondente.[50]

4) A adaptação do meio: a presença de ilustrações e tipos gráficos graúdos, assim como a escolha de determinado formato e tamanho, enfim o aspecto externo do livro, são condições de atração das obras.

O lugar da adaptação na literatura infantil é de natureza estrutural, na medida em que atinge todos os seus aspectos e determina o tratamento do enredo, estilo, aparência do livro etc. Assim, ela procura amenizar o outro lado da assimetria de que provém, qual seja, a maciça influência do adulto, que é o criador, sobre a criança. No entanto, essa não chega a ser completamente anulada, e a introdução do conceito de adaptação – uma relativização do lugar do adulto no livro para a infância – somente acentua este fato. Mediadora entre os polos da comunicação, a adaptação reforça sua existência diferenciada, denuncia o fator unidirecional da literatura infantil, dando-se exclusivamente do adulto para a criança, e revela a condição ideológica do texto, que poderá oscilar entre um papel condicionador ou emancipador, mas que não ultrapassará estes limites imediatos.

Neste sentido, a literatura infantil pode agir à revelia da criança, isto é, traí-la, na medida em que endossa sua dependência existencial ao adulto, dando-lhe um papel passivo, já que os polos do modelo comunicacional não podem ser invertidos, permanecendo o jovem como o eterno beneficiário de uma mensagem de que não é, nem pode ser, o autor. Daí sua duplicidade de caráter, que se revela de maneira mais flagrante quando pretende, por meio da adaptação, obscurecer a distância que lhe é peculiar, entre o produtor e o intérprete: apropriando-se da criança, que

---

[50] Id., p. 210-211.

inclusive nomeia o gênero de que é apenas o destinatário – uma vez que a literatura infantil significa uma modalidade de criação artística para crianças, e não das crianças –, quer ser uma aliada sua. Entretanto, objetivando dirigi-la para algum lugar, por meio de noções e procedimentos a serem adotados, mantém-se exterior a – e contra – ela.

Sendo essa duplicidade própria ao gênero em questão, cabe avaliar a história da literatura infantil nacional desse prisma. As primeiras criações advêm da mesma preocupação que norteou o início da literatura infantil no Ocidente: tratava-se de dotar o jovem com textos condizentes com suas necessidades de formação. No Brasil, foi um europeu que procedeu a essa tarefa: Carl Jansen, radicado primeiramente no Rio Grande do Sul e depois no Rio de Janeiro, estimulou o desenvolvimento de uma cultura nacional enquanto participou do grupo O Guaíba, em Porto Alegre, e, mais tarde, como ativo educador e mestre do Colégio Pedro II. Traduziu e adaptou os clássicos para a juventude, como *As mil e uma noites*, *Dom Quixote*, *Viagens de Gulliver*, *Robinson Crusoe*, *As aventuras do Barão de Munchhausen*, entre outros.[51]

O que não ocorreu entre nós foi o aproveitamento da tradição folclórica brasileira para a constituição dos textos juvenis, de modo que eles careceram de uma temática nacional. Embora essa fase de formação da literatura infantil ainda se dê sob a égide do Romantismo, as aspirações nativistas do movimento não atingiram esse tipo de criação artística. Pelo contrário, ao lado das adaptações escritas por Carl Jansen, houve a utilização do conto de fadas europeu, particularmente o ibérico, que passou a circular em antologias como *Contos da Carochinha*, de Figueiredo Pimentel. A seu lado, acrescente-se o aparecimento de alguns livros

---

[51] V. a respeito CESAR, Guilhermino. Um precursor de Lobato. *Correio do Povo*. Porto Alegre, 3 dez. 1977. Caderno de Sábado.

de natureza didática, produto sobretudo de educadores e religiosos, nos quais se verifica acima de tudo o intuito pedagógico, introdutor de valores e normas de conduta.[52]

O papel exercido por Monteiro Lobato no quadro da literatura infantil nacional tem sido seguidamente reiterado, e com justiça. Com esse autor rompe-se (ou melhor: começa a ser rompido) o círculo da dependência aos padrões literários provindos da Europa, principalmente no que diz respeito ao aproveitamento da tradição folclórica. Valorizando a ambientação local predominante na época, ou seja, a pequena propriedade rural, constrói Monteiro Lobato uma realidade ficcional coincidente com a do leitor de seu tempo, o que ocorre pela invenção do Sítio do Pica-pau Amarelo. Além disso, não apenas utiliza personagens nacionais, como também cria uma mitologia autônoma que se repete em quase todas as narrativas; daí a presença constante de Pedrinho, Emília, Narizinho, Dona Benta, Tia Nastácia, o Visconde. É igualmente razão de seu êxito literário e estético o emprego de crianças como heróis, o que possibilita uma identificação imediata com o leitor.

No plano das personagens, cabe ressaltar ainda outro procedimento do escritor, que resultou no sucesso de seu empreendimento: trata-se do modo como ele resolve o lugar do adulto em seus textos. No mundo fictício do Sítio do Pica-pau Amarelo, microcosmo do qual se desenvolvem os outros contextos ambientais de seus livros num crescente avanço rumo aos espaços fantásticos (já que se passa de um cenário de certo modo reconhecível como o mencionado Sítio, para horizontes cada vez mais fantasiosos, como o Reino das Águas Claras, a Lua, a Grécia clássica etc.),

---

[52] Sobre os inícios da literatura infantil no Brasil, consulte-se ARROYO, Leonardo. *Literatura infantil brasileira*. São Paulo: Melhoramentos, 1968; e SANDRONI, Laura Constancia. Retrospectiva da literatura infantil brasileira. *Cadernos da PUC/RJ*. Rio de Janeiro: Pontifícia Universidade Católica do Rio de Janeiro, n. 33, 1980.

existem apenas dois seres mais velhos, Dona Benta e Tia Nastácia, visto que experiência, maturidade e responsabilidade, enquanto propriedades específicas do adulto, são atributos exclusivos da primeira, a avó.

As demais personagens são: as crianças, realistas (Pedrinho e Narizinho) ou fantásticas (Emília, o Visconde, Peninha), os animais mágicos (o Rinoceronte Quindim, o Burro Falante) e a cozinheira Tia Nastácia, cujo nível intelectual e comportamental não ultrapassa o dos menores, sendo, às vezes, mesmo inferior. Assim, unicamente uma personagem representa o universo do indivíduo adulto – e com uma singularidade: a de que não desempenha uma função paterna. Assim, Monteiro Lobato preserva um lugar a um papel fiscalizador e de sustentação financeira, sem a conotação problemática que a relação entre pais e filhos necessariamente contém.[53] Nesse sentido, as crianças ficcionais que vivem no Sítio do Pica-pau Amarelo são órfãs – Pedrinho passa as férias lá, longe da mãe, e os pais de Narizinho não são mencionados, e Emília e o Visconde, as criaturas mais originais de Lobato, são inventados por bricolagem,[54] isto é, provêm do aproveitamento do material existente no próprio meio onde moram os entes fictícios – o que se torna condição de sua liberdade, pois Dona Benta não exerce um poder de coerção. E, quando insinua o exercício de um procedimento desse tipo, acaba vítima do desafio dos pequenos protagonistas, sem que tal atitude implique desobediência (uma vez que não se trata de recusa a uma ordem paterna) ou falta de educação.

---

[53] Cf. a propósito igualmente as observações de Tatiana Belinky. In: BELINKY, Tatiana. Literatura infantil é Monteiro Lobato. In: SILVA, João Carlos Marinho. *Conversando de Monteiro Lobato*. São Paulo: Obelisco, 1977. p. 22.

[54] O termo é usado no sentido que lhe dá Claude Lévi-Strauss. V. LÉVI-STRAUSS, Claude. *O pensamento selvagem*. São Paulo: Nacional, 1970.

O terceiro aspecto a destacar nas criações do escritor paulista diz respeito ao aproveitamento da sugestão oriunda do folclore. Conforme foi afirmado anteriormente, é dessa fonte que se alimentou intensamente a literatura infantil em seus primórdios. No Brasil, deu-se por muito tempo o transplante da tradição estrangeira, visto que as narrativas de cunho oral não receberam atenção similar, mesmo durante a vigência de movimentos literários de cor nacionalista, como o Romantismo, o Regionalismo ou o Modernismo. Foi Monteiro Lobato quem procurou incorporar esse acervo às suas histórias, pelo aproveitamento de certas personagens, fantásticas, como o Saci Pererê, históricas, como Hans Staden, por exemplo, e dos relatos populares; daí a presença do ciclo das lendas relativas à onça ou ao jabuti, entre outras. Todavia, se a ambiência modernista do autor transparece em tais procedimentos, cabe a ressalva de que ele emprega igualmente a mitologia clássica (como em *O minotauro* ou *Os doze trabalhos de Hércules*) e personagens oriundos da literatura europeia (Peter Pan, D. Quixote) ou da religião (S. Jorge, em *Viagem à Lua*), integrando o universo infantil de suas pessoas imaginárias e leitores à história nacional e ocidental, assim como ao mundo cultural que os cerca.

Da obra criativa e, ao mesmo tempo, respeitadora das peculiaridades do mundo da criança, não se deve omitir igualmente o ângulo pedagógico: Lobato sempre teve em mente a formação de seu leitor, visando dotá-lo de uma certa visão do real e da circunstância local, assim como de uma norma de conduta. Emerge daí a presença de uma doutrina nacionalista, transparente sobretudo em seu livro mais polêmico, *O poço do Visconde*. Preocupado com a defesa dos interesses internos, investe contra o capital estrangeiro que, segundo ele, prejudicaria a autonomia econômica da nação. Propõe também um certo modelo socio-econômico, ao partilhar a valorização da livre-iniciativa e do empreendimento privado, independentemente da tutela do Estado, como é próprio à ideologia da classe média.

Seu protótipo social vem das camadas urbanas: é o indivíduo empreendedor, esperto, astucioso, que não conhece limites, em contraposição à estagnação do pequeno lavrador. Por isso, seus heróis prediletos, Pedrinho e Emília, são em primeiro lugar indivíduos desrespeitadores; representam um inconformismo que somente se satisfaz quando se pode traduzir em ação. São a encarnação do ser humano produtivo, imprescindível dentro da nova ordem a que o autor aspirava: o desenvolvimento industrial, o crescimento econômico, a afirmação da pujança nacional. Dessa forma, o nacionalismo de Monteiro Lobato coincide com as aspirações de sua época, quando se assistia à modernização do país pela introdução de uma indústria local, ao crescimento urbano e ao fortalecimento da classe média. É nessa nova realidade social que ele quer introduzir seu leitor; deste modo, sendo o inconformismo que sustenta a ação de Emília, Pedrinho e o Visconde a condição da perspectiva emancipadora de sua obra, vê-se que o autor também busca canalizá-la para um certo tipo de produtividade, de caráter burguês, a que a criança, recebedor sempre passivo, sujeita-se.

Salienta-se ainda outro aspecto decorrente do caráter ideológico que as narrativas possuem: é que, patrocinando a imagem do universo urbano e a doutrina burguesa da livre-iniciativa, Monteiro Lobato acaba condenando – e ele o faz confessadamente, por meio de Jecas Tatus que perpassam sua obra e moram preferencialmente no Sítio de D. Benta – o próprio espaço existencial de onde provêm seus heróis (o cenário rural) e seu meio de vida (a exploração da pequena propriedade de terra). É certo que, ao proceder assim, Lobato evidenciava em sua obra um processo que ocorria na sociedade brasileira de seu tempo. No entanto, o que surpreende é que ele consegue situar suas personagens neste novo contexto tão somente pela mudança de sua visão de mundo, sem modificar as circunstâncias originais em que elas viviam e sonhavam.

É esse o aspecto contraditório de seus textos: houve a incorporação de certas ideias (que procedem evidentemente de sua profunda admiração pelo modo norte-americano de vida), sem que ele as tenha conseguido traduzir em personagens e ações. Por isso, as narrativas têm um conteúdo doutrinário, o que indubitavelmente perturba o efeito emancipador que a caracterização inconformista de seus heróis desejaria alcançar. E tal dificuldade advém da natureza do gênero a que o autor dedicou grande parte de sua existência e o melhor de sua criatividade: é que, para alcançar o efeito formador e pedagógico, o escritor não pôde aprimorar sua mensagem, discutindo suas nuances e consequências, nem tornar mais complexas as personagens e ambiência, fazendo-as viver crises existenciais, perturbações ou mudanças. Por isso, o programa político de Monteiro Lobato liquida o mundo de seus heróis, sem que estes, que encarnam aquele, possam se dar conta do fato, aprová-lo ou contestá-lo. Nesse sentido, as personagens acabam por incorporar a própria condição do leitor infantil, a da aceitação e passividade. Em outras palavras, por terem sido criadas à imagem e semelhança de seu recebedor, para motivar a identificação e o interesse dele, acabam por adotar seu destino, o que tem por consequência a limitação e a ameaça de extinção de sua circunstância.

Porque deu ênfase ao ideal da vida urbana e representou programaticamente as transformações socioeconômicas que vivia a nação em sua época, Lobato criou a literatura nacional num contexto de cenário, personagens e sugestão folclórica que já não podia ser seguido por nenhum outro escritor do gênero. Noutra formulação: fazer literatura infantil após Monteiro Lobato significa começar quase tudo outra vez, pois a experiência do escritor foi levada por ele próprio às suas últimas consequências. A evolução dessa espécie literária no Brasil reflete estas dificuldades decorrentes.

Há escritores que se limitam a repetir os principais modelos lobateanos e elaboram narrativas em que falta precisamente o que consistiu seu grande achado: a circunscrição do universo ficcional à realidade vivida e/ou conhecida pelo leitor que, naquela época, ainda era predominantemente rural e interiorana. Presente num texto atual, a fantasia transforma-se em mistificação de um modo de vida, negligenciados os esquemas de referência do destinatário, o que motiva seu desinteresse e representa uma incompreensão da necessidade de renovação e criatividade formais.

Evitando tão somente repetir Lobato, outra linhagem de escritores trata de integrar o meio urbano à criação literária. Cabe mencionar alguns escritores bem-sucedidos: Lygia Bojunga Nunes, que vê o ambiente urbano na perspectiva da interioridade da criança; Ana Maria Machado e Ruth Rocha, que abordam as relações entre os meninos e o contexto circundante; Fernanda Lopes de Almeida, que redimensiona as peculiaridades fantásticas do conto de fadas; Carlos de Marigny, que revela as contradições da sociedade com base na óptica infantil, isto é, de seus protagonistas centrais.

A dificuldade maior se refere, no que diz respeito à última inclinação mencionada, ao fato de que a valorização do mundo urbano pode conduzir igualmente à adoção da perspectiva com que este objeto tem sido tratado: a do realismo. Pois, se a escola realista deveu seu aparecimento e programa, no século passado, à introdução de um novo assunto (decorrente do desenvolvimento industrial e das consequências do êxodo rural), qual seja, a cidade e suas mazelas sociais, a literatura infantil, ao se debruçar sobre o mesmo cenário e tema, tende naturalmente a incorporar o foco realista mencionado. O resultado, todavia, tem sido incerto, pois a literatura de tipo realista – apoiada na noção de que a arte pode refletir uma circunstância mundana –

supõe, da parte do leitor, um determinado pré-conhecimento deste mesmo material. Esse pressuposto falha, quando se trata de um recebedor mirim, o que intensifica outra vez a necessidade de adaptação. Consequentemente, no caso da proposição de tipo realista para a literatura infantil, a adaptação vem a significar simplificação e redução, já que não pode se dar um questionamento sobre as raízes dos problemas examinados, nem sugeridas propostas de solução, a não ser que o escritor descubra alternativas estruturais, propiciadas pelo relato ficcional, para esta espécie de dificuldade.

Se, portanto, no primeiro caso mencionado a omissão do mundo vivido pelo leitor dentro do universo textual conduz a uma criação totalmente desvinculada da realidade, cujo conteúdo vem a ter natureza unicamente utópica, no último, a rejeição do fantástico pelo apego ao partido neonaturalista provoca uma falsificação em tudo contrária à intenção que norteou a produção artística.

Tais são os transtornos com os quais convive a literatura infantil nacional. O exemplo de Monteiro Lobato pode ajudar a compreender e descrever o fenômeno, assim como a resolvê-lo, se o examinarmos na perspectiva da criação de novos textos. Entretanto, ao mesmo tempo, ele só será um prestimoso auxiliar, se o resultado for uma literatura original, não lobateana, pois, como foi visto, o próprio escritor esgotou os caminhos inventados e trilhados por ele. E mesmo em seu caso, evidenciam-se os limites do gênero escolhido ou, com outras palavras, as dificuldades que vivencia para transpor suas fronteiras. Que, como decorrem da função ideológica a que a literatura se sujeita, cabe perguntar se a recusa desse papel não provocará seu desaparecimento. Oriunda da constituição de determinada faixa etária, a infância, a partir de um certo momento da evolução da civilização ocidental, sua transitoriedade é ampliada ainda pela relação especial que estabelece com seu destinatário, uma vez que está constantemente a perdê-lo. Portanto, a literatura infantil talvez seja tão somente uma fase histórica, passageira como a condição de seus leitores, dependendo sua eliminação da modificação da estrutura social que a gerou. No entanto, enquanto existir, mantém-se como desafio ao teórico, porque, sendo a imagem acabada do que a literatura não quer ser, isto é, revelando que a arte pode ser igualmente traição, e não porto seguro, passagem, e não permanência, falsificação, e não verdade, denuncia esse outro lado, a primeira vista inadmissível, mas verídico, da criação com a palavra, o que deflagra a necessidade de uma reflexão renovada sobre a real natureza do fenômeno literário e estético.

O LIVRO PARA CRIANÇAS NO BRASIL

MONTEIRO LOBATO E A AVENTURA DO IMAGINÁRIO

Localizando a ação do presente de seus leitores e desdobrando as peripécias com base no cotidiano das personagens, Monteiro Lobato teve os meios para romper com a tradição literária destinada aos jovens de seu tempo. Essa era caudatária do folclore europeu, constituído por narrativas de transmissão oral, recolhidas, e consequentemente cristalizadas, nas compilações dos Irmãos Grimm e de Hans-Christian Andersen. O sucesso que alcançaram ocasionou a cópia e adaptação delas em diferentes partes da Europa. A Península Ibérica não ficou imune a esses acontecimentos; e, por este intermediário, acabaram por desembarcar no Brasil as mesmas histórias, somadas à contribuição aleatória de escritores mais antigos, como Charles Perrault, ou mais recentes, como Heinrich Hoffmann, acompanhadas de textos de procedência variada e autoria desconhecida, nos quais se destacam o conteúdo religioso e a presença de figuras da mitologia cristã.

Herdeiras, talvez espúrias, da tradição popular europeia e sombras do legítimo *Märchen* coligido pelos Grimm, esses relatos acabaram por perder – ou, ao menos, ver enfraquecerem – as peculiaridades que os ligavam ao meio social no qual surgiram.[1] Se os compiladores mencionados já haviam tratado de amenizar o conteúdo original dos textos – aquele que traduzia a revolta dos segmentos sociais mais oprimidos, como os dos camponeses e artesãos urbanos, que elaboraram as narrativas primitivas –, o processo se complementou nas transposições que sucessivamente foram feitas. Adaptações de adaptações, as histórias começaram a falar de um mundo sem qualquer vínculo com a possível experiência do leitor; atenuadas até em seus conflitos simbólicos, converteram-se em resumos que pouco mostravam, seja a propósito da realidade que expressaram um dia, seja a respeito da sociedade em que posteriormente se implantaram, por nada terem assimilado do novo solo.

As histórias reunidas por Figueiredo Pimentel que o digam: seu *Histórias da avozinha* tem a ver com o livro de mesmo nome, elaborado por Travassos Lopes,[2] autor português, e esse, por sua vez, com algum ancestral mais distante, remontando ao folclore da Europa Central de que se valeram os famosos irmãos, ou a uma origem mais difusa, como a asiática, que se expandira pelos contos das *Mil e uma noites*. É com esse panorama que Lobato rompe, o que não significa que o ignore. No entanto, somente o incorpora quando o submete às regras dos moradores do Sítio do Pica-pau Amarelo; e, sobretudo, quando o moderniza, procedimento que o leva a renovar a linguagem dos heróis do

---

[1] As relações entre os *Märchen* e a sociedade agrária da Europa pré-industrial podem ser verificadas em RÖHRICH, Lutz. *Märchen und Wirklichkeit*. Wiesbaden Franz Steiner Verlag, 1974.

[2] Cf. a respeito PIMENTEL, Figueiredo. *Histórias da avozinha*. Livro para crianças. Rio de Janeiro: Quaresma, s.d. Id. *Histórias da carochinha*. Rio de Janeiro: Quaresma, 1954. Id. *Histórias do arco da velha*. Rio de Janeiro: Quaresma, 1957. E LOPES, José Quintino Travassos. *Os contos da avozinha*. Coleção ilustrada de histórias, lendas, fábulas e contos. Lisboa: Livraria de Antonio Maria Pereira, 1894-1896. 2 v.

passado, assim como suas atitudes, condição que elege para evitar o sepultamento definitivo deles.

Com tal decisão, o escritor revela-se simultaneamente um homem de sua época – porque permeável à influência do cinema e dos quadrinhos (veja-se por sua reiterada admiração por Disney, para ele, um dos maiores artistas do século) – e um atualizador, trazendo para a mentalidade de seu momento histórico o que lhe parecia ultrapassado ou envelhecido. A literatura infantil, como se afirmou antes, era a que experimentava mais nevralgicamente esta dificuldade. Amarrada à contribuição do passado, não se renovava; e, com isto, impedia o aproveitamento do moderno, da atualidade, do tempo, em suma.

É o que muda radicalmente com o desdobramento da obra de Monteiro Lobato. Pode-se supor, por conseguinte, que ela acabasse por refletir a época em que foi produzida. Que, com a incorporação de personagens contemporâneos, fosse introduzido na literatura infantil o sistema social vigente, com seus valores e comportamentos, organização política e funções. Vale dizer, pode-se esperar dela uma representação da realidade que nos faça conhecer, com maior ou menor número de detalhes, a época a que o autor foi profundamente sensível (e que lhe rendeu uma série de ensaios polêmicos e uma vida pública agitada).

Todavia, quando inquirida, os traços de contemporaneidade e cotidiano da realidade representada parecem escapulir. Pelo contrário, revela-se de imediato que instituições basilares da sociedade brasileira de seu tempo (e de hoje), como a família (patriarcal), a escola e a religião (ou a Igreja) estão completamente ausentes. Se Dona Benta e seus netos, rodeados de alguns animais incomuns, como os falantes burro Conselheiro, rinoceronte Quindim e Marquês de Rabicó, ainda coincidem com uma ideia de família, falta-lhe a orientação patriarcal e autoritária que perdurava no período, sobretudo no meio rural habitado pelos protagonistas. Por sua vez, a escola desaparece, já que Pedrinho está em férias permanentes, sendo alvo de uma aprendizagem que crê muito mais eficaz, já que recorre à leitura de livros e comparece diariamente aos serões, abertos a todos os interessados, de Dona Benta. A organização religiosa nunca é mencionada, como se jamais tivesse existido, nem funcionado como um dos principais esteios da sociedade nacional ao longo de sua história.[3]

Tais fatores – mais a visão harmônica do relacionamento entre os indivíduos, humanos e animais, que moram no sítio (o que não impede conflitos internos, mas passageiros, e aventuras, estas contínuas) – reforçam a noção de que aquele cenário representa a corporificação mais nítida da utopia concebida por Lobato.[4] Se assim é, e a conclusão parece inquestionável, resulta comprometida a tarefa que ele se dispôs a realizar: a de criação de uma obra para crianças fundada num tempo e espaço determinados, o do Brasil de sua época, rompendo com um tipo de literatura até então consumida pela infância.

Antes de confirmar se esse projeto foi viabilizado ou não, torna-se imprescindível verificar que realidade – ou que sociedade – a obra traduz. Isso significa igualmente interrogar a metodologia que pode servir de amparo no caso, a sociologia literária. Pois, na falta de uma contrapartida real ao mundo construído por Lobato, que metodologia pode ser útil? Ou, com outra formulação: até que ponto a sociologia literária, explicitando as aproximações entre uma obra e a sociedade que lhe serve de modelo, pode dar conta de uma narrativa na qual estes vínculos são rejeitados e até expulsos como indesejados?

---

[3] A constatação dessas ausências na obra de Monteiro Lobato deve-se a Rose Lee Hayden. Cf. HAYDEN, Rose Lee. *The children's literature of José Bento Monteiro Lobato of Brazil*: A pedagogy for progress. Ann Arbor: University Microfilm International, 1974.

[4] Cf. a propósito HAYDEN, Rose Lee. Op. cit.

A Marcação do Território

As caçadas de Pedrinho, sendo uma das poucas obras em que a ação transcorre inteiramente dentro do sítio, oferece os dados para uma primeira aproximação ao tema. A narrativa pode ser dividida em duas grandes sequências, decorrência natural das duas fases em que o livro foi escrito.[5] A primeira dá conta da caçada da onça, e a segunda, da adoção do rinoceronte, posteriormente batizado como Quindim pela prole de Dona Benta.

A primeira sequência, por sua vez, reparte-se em dois movimentos: no primeiro, os meninos, acompanhados por Emília, Visconde e Rabicó, dirigem-se à mata, na procura da onça, cuja presença o último havia detectado antes. Tendo-se sagrado vencedores, após um ataque simultâneo ao inimigo, eles se veem acossados pelos animais, que querem vingar o crime. De agressores, as crianças se convertem em agredidos, porém não perdem o caráter heroico, já que é deles a simpatia do escritor. Por isso, são os animais os autênticos selvagens, embora esta conotação negativa fique amenizada pela justificativa oferecida por um dos bichos à necessidade de vingança: eles vinham sendo paulatinamente desalojados de seu hábitat original, devendo então reagir, para conservar uma parte de suas áreas primitivas.

Tendo razão e agindo democraticamente (os animais discutem o problema em assembleia, e a decisão é fruto do consenso geral), nem por isso eles deixam de ser aniquilados, outra vez em decorrência da ação coletiva das crianças, lideradas pela esperteza de Emília. Não evitam, pois, a expulsão que temiam, produto da ocupação, pelo ser humano, de seu território. Assim, o sítio, por intermédio de seus

---

[5] Originalmente constituído pela história da caçada da onça, publicada em 1924, o livro tomou a forma que detém atualmente em 1933, com o acréscimo da sequência relativa à busca do rinoceronte.

habitantes, expande seu espaço físico, civilizando, pode-se dizer, a natureza primitiva que o rodeia. Ao mesmo tempo, delimita uma zona de relação com o mundo não humano, em que isola – ou submete – o selvagem que existe nele.

A segunda sequência também se inicia por uma caçada. Ou melhor, abre por um projeto de caçada – a do rinoceronte, encontrado na própria fazenda por Emília. Adonando-se do animal, que fugira de um circo, ela o vende a Pedrinho. O fato – pacífico, o que o torna simetricamente oposto à caçada anterior – tem, por sua vez, uma consequência similar: dá-se a invasão dos funcionários do governo, em busca da pretensa fera, e, embora não almejem verdadeiramente concluir a tarefa, ocasionam transtornos equivalentes nas terras de Dona Benta. O resultado de suas ações, somado ao caráter indesejável de todos eles, coloca-os no eixo dos animais bravios que, na sequência anterior, queriam destruir o sítio.

A rejeição dos funcionários provenientes do Rio de Janeiro transparece ainda em outros níveis. Não se aventurando a uma incompreensão por parte do leitor, o narrador trata de expressar com veemência a ineficácia e má-fé do grupo:

> Fazia meses que o governo se preocupava seriamente com o caso do rinoceronte fugido, havendo organizado o belo Departamento Nacional de Caça ao Rinoceronte, com um importante chefe geral do serviço, que ganhava três contos por mês e mais doze auxiliares com um conto e seiscentos cada um, afora grande número de datilógrafas e 'encostados'. Essa gente perderia o emprego se o animal fosse encontrado, de modo que o telegrama de Dona Benta os aborreceu bastante. Em todo caso, como outros telegramas recebidos de outros pontos do país haviam dado pistas falsas, tinham esperança de que o mesmo acontecesse com o telegrama de Dona Benta. Por isso vieram. Se tivessem a certeza de que o rinoceronte estava mesmo lá, não vinham![6]

---

[6] LOBATO, Monteiro. *As caçadas de Pedrinho*. São Paulo: Brasiliense, 1956. p. 84. As demais citações provêm dessa edição.

Além disso, as crianças também percebem a incompetência dos homens que, ainda por cima, perseguem um ser que já conta com a simpatia dos heróis:

> Pedrinho estava assombrado da esperteza daqueles homens. Iam construir uma linha de cabos só para levar ao terreiro um canhãozinho e uma metralhadora!... Muitos rinocerontes já haviam sido caçados desde que o mundo é mundo, mas nenhum seria caçado tão caro e com tanta ciência como aquele. Apesar de nunca saídos daqui, tais homens bem que podiam mudar-se para a África, a fim de ensinar aos negros do Uganda como é que se caçam feras... (p. 96-97).

Todavia, é a circunstância de colocá-los, no desdobrar do texto, na mesma posição ocupada antes pelos animais selvagens, que traduz de maneira mais palpável a aversão aos vilões. Por isso, eles não contam com nenhum atenuante: pelo contrário, são ridicularizados e, para tanto, o escritor arrisca-se a exagerar em seus comentários sobre as personagens, já que a proporção desses é visivelmente maior que em qualquer outro momento do livro.

Também a ferocidade humana é punida, e seus portadores expulsos do local de um modo irreversível, o que ainda ocorre ao advogado e ao proprietário do circo em que vivia o rinoceronte. Esse, por sua vez, tem uma sorte distinta, se comparado à onça, a quem se assemelhava por força da estrutura espelhada do texto. É adotado pela família, ainda que gradualmente: Emília é a primeira a reconhecer sua mansidão e, a seguir, todos os demais membros, desde Pedrinho e Narizinho até Dona Benta e Tia Nastácia, acabam por conviver tranquilamente com ele.

Dessa maneira, o rinoceronte não apenas inverte o papel da onça; ele representa igualmente o avesso da função desempenhada pelos demais agressores – as feras animais e as humanas –, demonstrando que o sítio está aberto tão somente para um tipo de indivíduo: aquele que compartilha de algum dos valores enfatizados por alguma das personagens. Nesse caso, o caráter sereno, cuja contrapartida humana é protagonizada por Dona Benta; mais tarde, a sabedoria e a inclinação docente, igualmente atributos da avó, aliviando a missão pedagógica que ela vinha ocupando até então.

Na medida em que os heróis do sítio esclarecem as regras para a admissão de novos parceiros, fica evidente que este território recebe um segundo limite. Na sequência inicial, esse se caracterizara por uma rejeição do natural e do selvagem, configurando um âmbito civilizado que avança sobre as regiões que se opõem a ele. Contudo, a civilização corporificada pelo sítio procede a um novo tipo de expulsão: a do mundo urbano, cujo grau de desenvolvimento gerara uma organização institucional difícil de tolerar. Em consequência, ao lado do rechaço da estrutura administrativa, segue-se a negação de qualquer tipo de instituição – a familiar, a escolar, a religiosa e a governamental. O paradoxal é que elas se confundem com o mundo civilizado, aquele que submete a natureza circunvizinha e desencadeia a transformação do ambiente original.

Com isso, Monteiro Lobato procede à crítica à sociedade brasileira de seu tempo, ainda que a alusão ao estamento burocrático revele que ele apenas a apalpava epidermicamente. Mais decisivo é que acaba por criar uma zona neutra, que somente se consolida por oposições: ao mundo da natureza, por não admitir um retorno à sociedade primitiva; ao mundo da civilização, por não concordar com a forma de evolução que tomaram os acontecimentos históricos.

Que essa zona neutra veio a confundir-se com o imaginário, comprova-o o paulatino afastamento do contemporâneo em sua obra, ou seja, a sonegação dos fatos sociais de que deveria consistir a realidade recriada. É o que transparece em *O pica-pau amarelo*, também transcorrido inteiramente no sítio. Que todavia o real cobrou sua dívida, impondo uma fronteira à ação ilimitada dos heróis, verifica-se em *A chave do tamanho*, texto em que o presente é tão vivo, que incorpora o evento mais palpitante do período em que foi escrito – a guerra europeia.

A Chave entre os Limites do Real

O pica-pau amarelo (1939) pode ser descrito, num primeiro momento, como a história que reflete, pelo avesso, o sentido global de *As caçadas de Pedrinho*. A ação se passa outra vez integralmente no sítio, embora Dona Benta tenha de ampliar suas fronteiras, a fim de abrigar todas as personagens do Mundo da Fábula, que se deslocam para lá. Contudo, em vez de acolher apenas alguns eleitos (como Cléu e o rinoceronte na narrativa anterior, a menina tendo atuação passageira no conjunto da obra), a Velha Senhora hospeda a todos indiscriminadamente, incluindo-se aí os malvados, como o Capitão Gancho, Barba Azul e os monstros que interrompem a festa de casamento de Branca de Neve. A condição de acesso justifica a diferença: os novos moradores originam-se todos, bons ou maus, em exercício ou aposentados, do universo fabuloso da literatura, cuja localização é contígua às terras de Dona Benta.

Em razão desse fato, *O pica-pau amarelo* parece proceder a uma opção por uma das realidades entre as quais oscilava, dirigindo-se à região da fantasia atemporal. Congregando, num único espaço, escolhido para este fim, seres de variadas procedências, pode abolir as fronteiras históricas que os prendiam a determinada circunstância e, consequentemente, alterar as fronteiras da representação. Entretanto, Monteiro Lobato não elege essa via, preferindo permanecer na zona neutra antes mencionada, reiterando-se a constatação de que o livro desempenha função similar a *As caçadas de Pedrinho*. Apresentando resultado semelhante, o escritor recorre a teses diferentes, fazendo com que as obras espelhem uma à outra, refletindo simultaneamente a mesma imagem.

A noção de que o sítio encarna uma zona especial, mas neutra, porque alternativa tanto à sociedade real, como ao mundo da fantasia, é expressa pelo narrador na abertura do relato, ao qualificar o local como "fabuloso tanto no mundo de verdade como no chamado mundo de mentira".[7] Ciente da precariedade do último conceito, o narrador procura esclarecer sua natureza: "O Mundo-da-Fábula não é realmente nenhum mundo de mentira, pois o que existe na imaginação de milhões e milhões de crianças é tão real como as páginas deste livro" (p. 3). No entanto, a explicação apenas reforça o caráter impreciso e inconsistente do conceito: a veracidade deste mundo decorre de sua procedência imaginária, o que apenas transfere para um outro nível a necessidade de resolução da ambivalência.

Além disso, a nova população fantástica não se instala propriamente no sítio. Dona Benta compra fazendas limítrofes, denominando-as de Terras Novas, e doa-as aos interessados. Trata de construir depois uma cerca com porteira para separar as duas áreas e confia ao Visconde a chave afirmando: "Ficamos nós aqui e eles nas Terras Novas."[8]

---

[7]LOBATO, Monteiro. *O pica-pau amarelo*. São Paulo: Brasiliense, 1956. p. 3. V. também o subtítulo deste texto: O sítio de Dona Benta, um mundo de verdade e de mentira. As demais citações provêm dessa edição.

[8] A isto se seguem algumas ações discriminatórias: "Nesse mesmo dia Pedrinho tratou da construção duma grande cerca de seis fios de arame farpado, que dividisse as terras do Pica-pau Amarelo das novas terras adquiridas. No meio da cerca, bem defronte do terreiro, tinha de ficar uma boa porteira de peroba, com cadeado" (p. 18). Além disso, o código de posturas é rígido: "Havia cláusulas. Que viessem todos – todos, todos, até o Barba Azul – mas com a condição de não invadirem o sítio, de não pularem a cerca. Eles ficavam para lá da cerca e ela e os netos ficavam para cá da cerca, nas velhas terras do sítio. Quando algum quisesse visitá-lo, tinha de tocar a campainha e esperar que Visconde abrisse. Proibido pular. Quem o fizesse, correria o risco de espetar-se no pontudo chifre de Quindim – o guarda" (p. 18).

Restauradas a separação e a diferença, dá-se início ao transplante dos seres da fábula. E esses, ocupando o novo território, procedem a uma alteração profunda do cenário original, como observam as crianças, sintomaticamente junto à cerca fronteiriça:

> Os personagens vinham vindo sem interrupção com a enormíssima bagagem dos castelos e palácios maravilhosos. Aquelas terras ordinaríssimas, onde só havia saúva e sapé, começaram a transformar-se como por encanto (p. 23).
>
> Pedrinho estava maravilhado com a transformação das terras novas. Um puro milagre, aquilo! Tudo mudado (p. 25).

Tais alterações não atingem o sítio de modo essencial. É certo que alguns, como o Pequeno Polegar, D. Quixote ou Belerofonte perturbam o sossego da casa, sem modificar, todavia, a natureza dessa. Por sua vez, o prejuízo maior decorre do sequestro da Tia Nastácia, assunto que, por obrigar os meninos a abandonarem o lugar em busca da cozinheira, converte-se em matéria para outra aventura, narrada em *O minotauro*.

Outros acontecimentos confirmam que o sítio resiste ao assédio da fantasia, como resistira antes ao ataque feroz de homens e animais. Um deles mostra o aparecimento da Quimera, agora domesticada e caduca. A esclerose do monstro denuncia a desconfiança de Lobato em relação a uma imersão completa no universo fantástico. Prefere conservar seus laços com o cotidiano, pelo qual lutam sobretudo as velhas, Dona Benta e Tia Nastácia, tentando resguardar o ordinário de suas vidas em meio à nova invasão.

Outro recurso empregado para afiançar a fidelidade ao projeto original é a narração do episódio em que crianças brasileiras visitam o sítio. Como os heróis da fábula, tomam conhecimento do local por intermédio dos livros; e, como no caso anterior, aquele cenário é, para elas, tão real quanto o objeto livro que lhes dá vida. Por isso, podem-se acercar dele com segurança. O autor alcança assim dois resultados: preserva seus laços com a realidade nacional, na qual semeara e colhera seus protagonistas; e consegue contrabalançar a ocupação estrangeira (já que é patente a ausência do folclore brasileiro) com a presença de crianças verdadeiras, batizadas e contemporâneas à época de produção da história.[9]

Assim, ressalvam-se os limites, que isolam o sítio por dois lados – tanto do universo fantástico atemporal e desnacionalizado, quanto da reprodução literal da sociedade de seu tempo, evitando a imersão de sua obra em situações que, por excesso ou por falta, esterilizariam a criatividade de seus heróis.

Ao redor desta zona privilegiada, aparece uma cerca, cujo portão é aberto por uma chave, em posse do Visconde. A existência da chave impede o enclausuramento; mas determina simultaneamente a seleção a respeito dos que podem entrar ou não. Ela converte-se, pois, em condição de sobrevivência do sítio, permitindo a manutenção de suas peculiaridades e não se deixando absorver por mundos que provocariam seu desaparecimento.

Outra chave, correspondente à utilizada em *O pica-pau amarelo*, vem a ser manipulada, agora por Emília. E, se a ação da boneca foi motivada por mais uma invasão da vida contemporânea na paz do sítio, a recíproca determinou o

---

[9] É interessante observar a preocupação em oferecer dados que tornassem as crianças reconhecíveis aos leitores de sua época: "Quem pode, por exemplo, com a Maria de Lurdes? ou com a Marina Piza, ou a Maria Luíza, ou a Bjornberg de Coqueiros, ou o Raimundinho de Araújo, ou o Hélio Sarmento, ou a Sarinha Viegas, ou a Joyce Campos, ou a Edite Canto, ou o Gilbert Hime, ou a Ayrton, ou o Flávio Morretes, ou a Lucília Carvalho, ou o Gilson, ou a Leda Maciel ou a Maria Vitória, ou Nice Viegas, ou os três Borgesinhos (Estila, Mário e Marila), ou o Davi Appleby, ou o Joaquim Alfredo, ou a Hilda Vilela, ou o Rodriguinho Lobato e tantos outros? Essa criançada achou meios de descobrir onde era o sítio de Dona Benta; e comandados pela Maria de Lurdes, ou a Rãzinha, lá foram ter" (Id. ibid., p. 155).

cataclismo que acabou por alterar a natureza da humanidade e o funcionamento da vida social. É o que o próprio narrador declara na abertura do livro:

> A vida no Pica-pau Amarelo é um interminável suceder de reinações maravilhosas, nenhuma das quais equivale em originalidade e imprevistas consequências para o mundo à descrita nesta obra. Emília excedeu-se, como disse o Visconde – e por um triz não determinou no gênero humano a mais radical das mudanças.[10]

Passando-se os eventos à época da guerra, quando Londres era bombardeada e a Rússia invadida, respectivamente pela aviação e exército nazistas, *A chave do tamanho* parece ser um dos livros, ao lado de *O poço do Visconde*, em que Lobato foi mais sensível às ocorrências contemporâneas a que assistia. Emília toma as dores do mundo e decide dar fim ao morticínio; ocasiona outro, que consome até alguns vizinhos do sítio, mas de suas consequências poderia nascer uma nova humanidade.

Pelo menos, esta é a crença do livro: a de que, reduzindo-se o tamanho dos seres humanos (e tão somente deles), adviriam novas condições de relacionamento com o meio ambiente e com os semelhantes, mais solidárias e serenas. Partidário de Darwin, acredita que a seleção natural recrutaria os melhores – e estes seriam os mais sábios, como o professor americano, Dr. Barnes, que coordena os trabalhos na cidade planejada por ele, e os mais espertos, como Emília, que se safa de uma série de perigos recorrendo à inteligência.

O remédio é suprimir completamente a força física, deixando lugar apenas para o saber. Como observa Emília, ela diminuiu de tamanho, mas não de inteligência: "Apesar de eu ter agora tamanho de uma saúva, possuo a mesma

---

[10] LOBATO, Monteiro. *A chave do tamanho*. São Paulo: Brasiliense, 1956. p. 1-2. As demais citações provêm dessa edição.

inteligência de antes" (p. 23). É o que viabiliza a desejada Ordem Nova, que chega a entrever, acompanhada pelo Visconde, em sua visita a Pail City, na Califórnia.

Contudo, a nova organização não vem a se concretizar. Não contando com unanimidade da população do sítio para o andamento do projeto, é obrigada a submeter-se a um plebiscito, que julgaria qual o melhor caminho a tomar. No escrutínio, fica decidido o retorno ao sistema antigo, e Emília precisa dobrar-se à vontade majoritária, sob pena de empanar a imagem liberal que deseja difundir.

Mais uma vez o Visconde aparece senhor da chave. De um lado, porque é seu voto que desempata a eleição, rebelando-se contra a boneca, ao contrário do que ocorrera em outras ocasiões, e desmentindo o narrador, que afirmara ao início: "[Emília] praticamente é quem governa o sítio de Dona Benta – e sempre exerceu uma completa ascendência sobre o Visconde" (p. 1). De outro, porque é ele o único que tem força suficiente para mover o mecanismo.

Entretanto, dessa vez a chave tem um significado diverso. Se, no livro anterior, fora a salvaguarda contra os assédios dos excessos a fantasia ou realismo, agora é ela a condição da verossimilhança do texto. Vale dizer, Lobato, como Emília, esta mais uma vez seu *alter ego* ficcional, precisa aceitar que os homens não mudaram seu tamanho e que a guerra – ou a rivalidade entre as grandes potências – continuava cada vez mais aguda. Portanto, não podia trapacear com a realidade, que era sua e do leitor. De modo que, mesmo sonegando-a ou tentando modificá-la, não pôde evitar uma cobrança ulterior. E esta veio sob a forma de uma estética – a do realismo, a que mesmo o gênero para crianças precisa sujeitar-se, sob a pena de pôr a perder sua validade literária. Configura-se nesses termos o perímetro do círculo dentro do qual se desenvolve a criação de Lobato, abrigando dentro dele não apenas um modelo de mundo imaginário, mas também a opção estética que permite traduzi-lo.

Constituindo o sítio como uma zona intermediária, na qual se aloja o imaginário com plenos poderes, Monteiro Lobato teve meios de transformá-lo na utopia que se opunha, de acordo com sua formulação, à estrutura da sociedade brasileira. Vendo a esta última como cristalização da incompetência e do autoritarismo, fatores que percebe, mais tarde, para além da nação, mas sempre em regimes tirânicos, como o nazista, em *A chave do tamanho*, reivindica, em sua obra, um espaço para a liberação da criatividade e da inteligência. Aloja-as na propriedade de Dona Benta; e, com isto, expulsa segmentos importantes da vida nacional, embora evite compartilhar da estética escapista da literatura infantil que o precedeu. Essa é igualmente posta de lado e ultrapassada, o que o remete de volta para o realismo, fundado na mimese e na verossimilhança, desta vez sem poder fugir a ele.

Por conseguinte, é nessa estreita faixa de terreno – o imaginário, constituído entre o real e a fábula escapista; o realismo decorrente do verossímil, entre a reprodução da sociedade e sua abolição completa – que circula sua obra literária dirigida à infância. Com tal recurso, Lobato delimita o método que pode abordá-lo, o qual, se for fundado num procedimento sociológico estrito, se deparará com uma ausência, quando esta é tão significativa quanto uma presença, sem se tornar omissa ou onírica. É também neste limite que transita sua estética, cuja chave é trazida por seus heróis, os quais, para serem decifrados, exigem a superação do mero âmbito do confronto com o mundo histórico, para o mergulho no imaginário que congrega algumas das aspirações da humanidade.

LITERATURA INFANTIL: TEXTO E RENOVAÇÃO

O Imperialismo do Texto

O contato com a literatura infantil se faz inicialmente por seu ângulo sonoro: a criança ouve histórias narradas por adultos, podendo eventualmente acompanhá-las com os olhos na ilustração. Essa introduz a epiderme gráfica do livro, de modo que a palavra escrita apresenta-se em geral como o derradeiro elo de uma cadeia que une o indivíduo à obra literária. Contudo, tão logo ela se instala no domínio cognitivo de um ser humano, converte-o num leitor, isto é, modifica sua condição. Portanto, é a posse dos códigos de leitura que muda o *status* da criança e integra-a num universo maior de signos, o que nem a simples audição, nem o deciframento das imagens visuais permitiam.

O crescimento da criança se faz por essa imersão no universo da palavra escrita, e seu desenvolvimento intelectual pode ser medido por meio de sua habilidade de verbalização dos conteúdos assimilados durante a educação formal. Expressão escrita e domínio de hábitos de leitura distinguem o indivíduo superior, submetendo a essas atividades os outros meios de apropriação da realidade: o auditivo e o visual.

É o que decreta em nossos dias o imperialismo do texto e a noção de ser ele superior aos outros meios de comunicação, sobretudo quando estes prescindem dos recursos ligados ao verbo. Tal situação pode ser comprovada não apenas por esta inclinação ao estabelecimento de uma hierarquia dos objetos culturais, na qual o livro ocupa o primeiro lugar, reinando soberano; mas também pela ênfase no domínio da linguagem escrita como objetivo último tanto do ensino, como da habilidade de ler. No entanto, ela ainda pode ser confirmada, se se examina a questão historicamente.

A posse de um alfabeto, isto é, a utilização de um código que se transmite por intermédio de signos gráficos, tem sido um critério para a distinção entre os povos e as civilizações, assim como para a segmentação da História. Os grupos humanos mais primitivos, como os chamados povos selvagens, e as épocas mais bárbaras têm sido assim classificadas em vista da presença ou não de meios de fixação e documentação de seu patrimônio cultural. O atributo de civilidade vem associado ao domínio da expressão escrita, pois os proprietários desta deixam gravados para as futuras gerações seus produtos – seja uma mitologia, uma religião, filosofia ou literatura. Todavia, a expansão do código escrito no Ocidente data de época relativamente recente, impulsionado durante a Renascença, graças à invenção da imprensa por Gutemberg. O século XVIII assistiu à sua ampla divulgação, verificável tanto pelo aumento do público leitor, como pela ampliação da rede escolar e proliferação das empresas ligadas aos meios de comunicação por escrito.

A ascensão da expressão escrita e, por extensão, a nova ênfase na leitura, está profundamente relacionada aos novos fenômenos sociais do século, sintetizados na emergência da classe burguesa. Oriunda da dissolução dos laços feudais e associada à valorização da vida urbana, a nova camada ascendente trouxe consigo um conjunto de valores, cujo alastramento ainda se presencia na atualidade. Caracteriza-se por um ideário coroado pela noção de liberdade: a política, já que visa promover um regime de governo independente da influência da aristocracia ou das redes de parentesco; a social, pois quer encontrar uma vaga na hierarquia da sociedade; a econômica, porque valoriza a livre-iniciativa e o jogo autônomo das variáveis financeiras. E privilegia a educação pessoal, qualificando o indivíduo não por seu passado ilustre, mas por seus dons intelectuais que incrementa ao longo de sua vida. É o que determina a promoção da cultura e do ensino.

A conquista do poder pela burguesia, durante os séculos XVIII e XIX, veio acompanhada da divulgação destes valores liberais. A rejeição da primazia atribuída antes à tradição sintetiza a todos: o que vem do berço e da família, isto é, a herança de títulos e patrimônios, nada mais justifica. O indivíduo é o que ele faz de si mesmo durante sua existência, e somente a história pessoal explica a natureza de cada um. Por isso, as artes se modificam, favorecendo a substituição da epopeia (forma que dá vazão literária a um passado consagrado pela tradição) pelo romance ou o aparecimento de gêneros ligados à formação do ser humano: os tratados de pedagogia e a literatura infantil. E torna-se norma dominante a valorização da cultura como cabedal de informações que permitem tanto o acúmulo de saber enquanto tal, como o questionamento da realidade. Nessa medida, os prestígios respectivos da ciência e da leitura aparecem concomitantemente e, com ele, o culto ao livro, o aumento do número de bibliotecas e escolas, a classe dos intelectuais e o magistério. O Iluminismo, distinguindo a Razão e a Filosofia, é a síntese teórica deste movimento, cujos efeitos ainda se presenciam. Advém daí o respeito à palavra escrita e o imperialismo do texto que, como documento, jamais se converte em tradição. O livro existe para ser questionado ou para deflagrar a perquirição científica, passando a ter força de lei apenas quando filtrado pelo crivo da crítica.

Por sua vez, quando se examina o universo da criança, verifica-se que o contato original dela com o mundo se faz por intermédio da audição e da recepção de imagens visuais. O texto escrito lhe é imposto tão somente após a interferência e intermediação da escola. A partir de então, ela tem acesso às mesmas modalidades de cultura, podendo fazê-lo de modo autônomo, liberando-se paulatinamente do adulto, senhor da voz que até então lhe transmitia o conhecimento.

Entretanto, por tomar o lugar do adulto, pode ocorrer que a história infantil se transforme no representante do mundo dos mais velhos, convertendo-se em veículo de autoridade e instrumento para a transmissão de normas, sejam éticas, comportamentais ou linguísticas. Todavia, como produto de uma ideologia que patrocina o questionamento da tradição, o livro pode significar seu contrário, atuando como propulsor de uma nova postura inquiridora e inconformada em face dos padrões instituídos. Investigar como a literatura infantil se posiciona perante esses aspectos e onde eles se localizam no interior de um texto de ficção é ao que cabe proceder agora.

Literatura Infantil entre Normatividade e Ruptura

Determinar o lugar da literatura infantil não pode prescindir de uma formulação sobre seu caráter artístico e seus vínculos com a literatura inteira.

Procurando determinar a natureza do literário, a moderna filosofia da literatura, independentemente de suas divergências, tem insistido em alguns tópicos comuns. O primeiro deles diz respeito à primazia do texto, isto é, à sua autonomia. O fenômeno literário deve ser examinado, antes de tudo, em função de sua estrutura, verificando as relações entre seus elementos, com base nos quais se poderá esboçar seus contatos, seja com a tradição literária, seja com a história social. Nesse sentido, a maior parte das linhas teóricas são estruturalistas, termo empregado tanto pela sociologia de Lucien Goldmann e Antonio Candido, como pelo formalismo, que, originado na Rússia pré-revolucionária, estende-se até nossos dias com reflexos na Semântica, Semiologia e Estilística.

A prioridade do texto e de sua hermenêutica, como critério de análise literária, reproduz a centralização, antes mencionada, na escrita, conceito que recebeu algumas apologias especiais em ensaios produzidos pelo estruturalismo francês, que se valeu dele para repudiar toda e qualquer investigação no nível de representação da realidade na obra literária.[11]

Entretanto, mesmo recusando a inclinação mimética da literatura, também o formalismo mais exacerbado coincide com outra noção tornada comum nas diversas constelações teóricas: a de que a obra literária rompe com as expectativas de seu leitor e existe para isto. Em outras palavras, a criação artística é uma mensagem que se orienta necessariamente para seu recebedor, reproduzindo, neste aspecto, o processo usual de comunicação. Mas ela se particulariza na medida em que provoca um estranhamento; portanto, precisa apresentar-se enquanto uma mensagem original, criação no amplo sentido do vocábulo, o que lhe assegura o caráter permanentemente renovador.

Essa ruptura com certas expectativas pode ser verificada sob dois ângulos: de um lado, significa um rompimento com as modalidades ordinárias de expressão; de outro, com os clichês ou a ideologia de uma certa época. Assim, um texto autenticamente criativo explora formas inusitadas

---

[11] Sintomático é o ensaio de Roland Barthes, *O grau zero da escrita*, publicado na década de 1960.

de linguagem; porém, como a ideologia – isto é, as noções comuns em circulação num determinado momento histórico — se inscreve na língua, torna-se evidente que a obra literária pode romper também com os padrões vigentes de visão da realidade. Nesse sentido, a literatura pode-se constituir em objeto de conhecimento, ampliando e renovando o horizonte de percepção de seu leitor. E, se ela não reflete passivamente uma sociedade ou uma época, é porque expõe suas contradições, tornando patente suas fissuras, assim como as tentativas, por parte da classe dominante, de acobertá-las.

O exame dos diferentes processos de que se vale a literatura para atingir esse fim permite que se dimensione se se trata ou não de uma criação de vanguarda. É, pois, com base em seus índices de ruptura, qual seja, de seu maior ou menor comprometimento com a vanguarda, que todo o texto é analisado e valorizado. Tal fator determina a índole eminentemente histórica da literatura, pois ela está em constante transformação, ao reagir de maneira ativa às circunstâncias sociais de onde procede.

Advém daí a relação da obra com as normas em circulação. Visando à ruptura com o convencional, a criação literária só pode introduzir a norma em seu interior para revelar sua índole aglutinadora; desse modo, ao incorporar os modelos estéticos, sociais, linguísticos, éticos ou religiosos, o texto revela-os, enquanto convenções destinadas a manter um certo tipo de dominação no meio social, contribuindo, pois, para seu conhecimento e transformação. Em tal medida, o texto se converte em instrumento de investigação da realidade, questionando-a sem abdicar de sua natureza literária, pois transforma todos os elementos externos em componentes de sua estrutura. A relação com as normas e os padrões estabelecidos de uma dada época e sociedade vem participar do universo artístico, garantindo a autonomia deste, mas, ao mesmo tempo, reativando seu contato com a vida social.

Como se comporta a literatura infantil diante desse espectro? Conforme toda a criação com a linguagem, caberá uma opção entre o assumir desta natureza eminentemente renovadora ou a conformação com os modelos estéticos e sociais vigentes, transmutando-se em porta-voz de noções previamente estabelecidas.

Com efeito, a caracterização da obra literária evidencia o dilema da literatura infantil. Se esta quer ser literatura, precisa integrar-se ao projeto desafiador próprio a todo o fenômeno artístico. Assim, deverá ser interrogadora das normas em circulação, impulsionando seu leitor a uma postura crítica perante a realidade e dando margem à efetivação dos propósitos da leitura como habilidade humana. Caso contrário, transformar-se-á em objeto pedagógico, transmitindo a seu recebedor convenções instituídas, em vez de estimulá-lo a conhecer a circunstância humana que adotou tais padrões. Debatendo-se entre ser arte ou ser veículo de doutrinação, a literatura infantil revela sua natureza; e sua evolução e seu progresso decorrem de sua inclinação à arte, absorvendo, ainda que lentamente, as contribuições da vanguarda, como se pode constatar no exame da produção brasileira mais recente.

O Exemplo da Literatura Brasileira

Como a literatura infantil é uma modalidade de expressão que não conhece limites definidos, torna-se bastante difícil estabelecer suas principais linhas de ação. Ela pode englobar histórias veristas ou fantásticas, miscigenar gente e animais antropomorfizados, simbolizar ou simplificar situações humanas existenciais, misturando até todas estas possibilidades num único texto; deste modo, incorre-se sempre no risco de separar o que está coeso ou aproximar o que é distinto. Mesmo assim, pode-se identificar algumas orientações comuns na produção literária nacional dirigida às crianças. A mais frequentemente citada diz respeito às incursões no verismo naturalista; a essa pode-se alinhar tanto a preocupação com a renovação do conto de fadas, quanto o esforço rumo à simbolização dos estados existenciais infantis, qual seja, a investigação do mundo interior da criança. Ao lado dessas, permanecem atuantes outras vertentes literárias, como a história ou de aventuras, que podem se passar no campo (com os heróis em férias, num sítio ideal) ou na cidade grande, as narrativas com personagens animais (porém, frequentemente humanizados) e o aproveitamento de episódios da história do Brasil.

Cabe verificar, num primeiro momento, o que se passa com o conto de fadas, gênero que remonta às origens da literatura infantil, pois foi de seu aproveitamento por Charles Perrault e pelos Irmãos Grimm que viveu ela seu primeiro surto produtivo eficaz. Assim, da análise das criações mais recentes poder-se-á verificar o engajamento com uma arte renovadora, retirando daí seu valor, ou a inclinação a um didatismo transmissor de valores estabelecidos e desfavorável à óptica infantil.

História meio ao contrário, de Ana Maria Machado, publicada em 1979, protagoniza, com seu título, a inversão do modelo do conto de fadas, de modo que, de seu exame, é possível dimensionar-se a questão posta acima.

A convenção do conto de fadas supõe uma sequência narrativa típica e um elenco de personagens. A evolução do relato se apoia em três momentos básicos, no mínimo: um conflito ou a situação de dano ou carência, usando a terminologia da morfologia do conto;[12] uma ação saneadora, por meio de um herói que recebe a colaboração de uma entidade mágica; e o sucesso da empresa, que culmina num matrimônio. Os figurantes se dividem em dois grupos: humanos e mágicos, e cada um desses biparte-se em bons

---

[12] PROPP, Wladimir. *Morphologie du conte*. Paris: Seuil, 1970.

e maus – há um herói, que representa o positivo, e o vilão, sinal do negativo; e existem fadas ou velhos bondosos, em contraposição a bruxas, duendes, anões ou gigantes maus. A realidade é dicotômica, mas marcha inevitavelmente para a imposição do bem sobre o mal, instaurando uma ordem que tende a permanecer imutável.

História meio ao contrário tematiza sua condição desde o início:

– inverte a sequência narrativa, ao aludir, no título, que as ações se darão "meio ao contrário";

– sendo "meio ao contrário", mesmo o conceito de inversão é relativizado, pois não se trata do negativo de um positivo, evitando a divisão maniqueísta;

– verbaliza que o processo será diferente neste relato: "tem muita história que acabou assim, mas este é o começo da nossa";[13]

– e sintetiza em poucas linhas o desdobramento usual do conto de fadas, a fim de tornar evidente que o desenrolar da história será outro:

> Mas vamos começar de novo pelo começo.
> Ou pelo fim, que esta história é mesmo ao contrário.
> ... E então eles se casaram, tiveram uma filha linda como um raio de sol e viveram felizes para sempre.
> *Eles* eram um rei e uma rainha de um reino muito distante e encantado. Para casar com ela, ele tinha enfrentado mil perigos, derrotado monstros, sido ajudado por uma fada, tudo aquilo que a gente conhece das histórias antigas que as avós contavam e que os livros trazem cheios de figuras bonitas e coloridas. Depois, viveram felizes para sempre (p. 5-6).

Em razão disso, as páginas iniciais do texto têm em vista não o deslanchar da ação, mas o patentear de que um certo modelo está sendo contrariado, à medida que o nar-

---

[13] MACHADO, Ana Maria. *História meio ao contrário*. São Paulo: Ática, 1979. p. 4. Todas as citações provêm desta edição.

rador se apropria dele. Por isso, o desenvolvimento da fábula narrativa é sempre contraposto a um padrão fixado pela tradição, embora o narrador evite, a partir daí, deixar muito nítido o procedimento empregado, pois para tanto investira o início da narração.

O segundo fator de desequilíbrio é dado pelas personagens. Contando com o elenco tradicional do gênero – Príncipe, Princesa, Rei, Rainha, Gigante, Dragão e Primeiro-ministro – a caracterização deles subverte a convenção, na medida em que

– são abolidas as distinções sociais: o príncipe se enamora da pastora, desinteressando-se da princesa;

– a princesa opta ao final por escolher seu próprio caminho, afirmando que "minha história quem faz sou eu" (p. 38);

– são introduzidas figuras oriundas das camadas inferiores, como artesãos (a Tecelã, o Carpinteiro, o Ferreiro) e trabalhadores do campo, como a Pastora, o Vaqueiro e o Camponês;

— as personagens que constituem o povo configuram o âmbito do coletivo, isto é, formam uma multidão, que, por seu caráter numérico, impressiona o Rei:

> Do alto de uma escada, o Rei olhou e viu aquela multidão reunida lá em baixo. Ficou assombrado:
>
> – Tudo isso é o povo?
>
> – Isso e muito mais, explicou o Primeiro-ministro. Todas as pessoas que trabalham no campo, na aldeia, nas casas do vale, tudo isso é o povo (p. 18).

As modificações mais importantes dizem respeito aos protagonistas encarregados de representar concomitantemente o bem e o mal, o humano e o sobrenatural: ou seja, o Rei, que sintetiza a ordem humana, e o Dragão e o Gigante, que simbolizam a desordem, senhora de atributos mágicos.

O Rei é a figura mais saliente na primeira parte da história (também este fato representa uma contrariedade, já que ele sempre se destaca nas últimas sequências): vivendo muito feliz, porque isolado de qualquer problema, repentinamente se vê perante uma dificuldade que demanda uma solução – assistiu ao roubo do dia. O Rei presenciou um evento natural, o que o deixou perturbado, até que se viu diante de outro acontecimento usual: o transcurso da noite e o aparecimento da lua.

Como se percebe, o Rei, por suas atitudes pueris, configura o protótipo da condição infantil:

– foi isolado do mundo exterior, a fim de que não se rompesse sua ilusão de felicidade, como lhe explica o Primeiro-ministro: "Vossa Majestade é um homem feliz para sempre e ninguém quis incomodá-lo com essas coisas" (p. 15). Mais adiante, complementa: "Ninguém quis aborrecer nem preocupar Vossa Majestade, só isso. Se nós fôssemos trazer a vossos reais ouvidos todos os problemas do povo, como é que Vossa Majestade ia poder continuar a ser feliz para sempre? Aqui dentro é protegido, claro, tranquilo..." (p. 16);

– e tem atitudes de garoto mimado, como o fato de querer mudar o ciclo da natureza.

Vivendo numa redoma que o afasta da sociedade (ignora, como se viu, a existência do povo) e a natureza (desconhece o ciclo normal do dia e da noite), o Rei representa ao mesmo tempo a puerilidade e o autoritarismo. Pertence à primeira qualificação o fato de que ele só vem a perceber a noite (isto é, o roubo do dia) por ter desobedecido à Rainha, que o chama primeiro para o banho e, mais tarde, para a janta. E duas decisões suas caracterizam a arbitrariedade e o autoritarismo: mudar a ordem da natureza, embora isto não convenha a ninguém, como dão a entender os membros da coletividade; impor um destino à sua filha.

A caracterização do Rei como representando concomitantemente um modelo de comportamento infantil estereotipado e de exercício do poder (ou de regime político) tem sido uma tônica da literatura brasileira para crianças voltada ao reaproveitamento do conto de fadas. Em *O reizinho mandão*, Ruth Rocha utiliza semelhante procedimento, bem como Eliardo França, em *O rei de quase tudo*. Assim, a personagem responsável pelo mando tem atitudes ao mesmo tempo arbitrárias e pueris, percebendo-se aí uma preocupação com a crítica à autoridade. No entanto, cabe a ressalva de que, na medida em que o herói se infantiliza, ocorre igualmente o oposto: a voz infantil, quando se converte em senhora do poder, é contrariada e condenada por intermédio das insinuações do narrador, invariavelmente um adulto. A amenização dessa dificuldade advém do recurso a um outro procedimento narrativo: é introduzida uma nova personagem, agora jovem ou criança, que desafia o poder estabelecido. É a Princesa que diz não ao pai, a menina que manda o *reizinho mandão* "calar a boca", repetindo-se o processo de *A roupa nova do imperador*, de Hans Christian Andersen, no qual cabe à inocência infantil a denúncia da farsa encenada pelos adultos.

Consequentemente, um estereótipo do conto de fadas é contrariado – o que atribui ao Rei a justiça, a sabedoria e o poder –, substituindo essas virtudes pela puerilidade e a tirania. Contudo, a associação carrega consigo o compromisso com outro protótipo – o da crítica à criança mimada, que pode permanecer como comportamento latente no adulto, o que vem a ser relativizado ou não pela introdução de um novo procedimento –, a denúncia da falsidade dos valores adultos pelos mais jovens que, não estando ainda envolvidos com sua ideologia, podem revelar sua superação.

Se o elemento configurador do padrão positivo encontra-se matizado nos termos antes descritos, cabe verificar o que acontece com os estereótipos do mal, o que transparece por intermédio da evolução da narrativa. Esta apresenta dados originais em relação à norma do conto de fadas:

– o conflito é desencadeado pela falsa acusação do Rei, de que o Sol e, depois, a Lua foram furtados;

– há um herói que se dispõe a resolver o desequilíbrio, porém não é bem-sucedido, ou melhor, nem sequer chega a se defrontar com o pretenso vilão;

– os representantes do povo não desejam a vitória do Príncipe Encantador e são eles que solicitam a ajuda da entidade mágica, em favor do dragão;

– nem o gigante, nem o dragão são maus e é de sua colaboração mútua que nasce a proteção contra as investidas do Príncipe.

Assim, as entidades tradicionalmente más perdem a conotação negativa, dissolvendo-se o dualismo característico do gênero; por isso, pode ser dispensado também o auxiliar do herói, em geral uma fada, já que é o dragão que carece de ajuda. Enfim, dragão e gigante têm uma conotação simbólica que remete o texto às origens da narrativa folclórica.

Wladimir Propp, analisando as raízes populares da narrativa fantástica,[14] observa que aquela teve sua gênese em relatos de tipo mítico que contavam as provas iniciatórias do rapaz em vias de alcançar a idade viril. Assim, cabia a ele o afastamento do âmbito social da tribo e o enfrentamento de uma realidade adversa, que estava encarnada na floresta a que se dirigia e nos entes maléficos que derrotava. Bruxas e outros seres sobrenaturais eram a corporificação do medo ao desconhecido, que devia ser derrotado como prova de qualificação à vida social e adulta.

Na narrativa de Ana Maria Machado, essa tópica retorna, e também de modo invertido: o dragão é a noite e seu olho brilhante, a Lua, ou nas palavras do Rei: "o sol branco e frio que brilhava na escuridão" (p. 36); e o "Gigante adormecido", "deitado eternamente" (p. 26), a natureza poderosa que protege os que estão a seu lado. Desse modo, os seres sobrenaturais outra vez passam a corporificar o fun-

---

[14] PROPP, Wladimir. *Las raíces historicas del cuento.* Madrid: Editorial Fundamentos, s.d.

cionamento da natureza, só que esta deixou de ser o lugar da afirmação da supremacia da ordem humana; em decorrência, o Príncipe não leva seu projeto adiante, não tanto por se ver bloqueado por rios, plantas e insetos, mas porque, iluminado pela lua (o olho do dragão), ele vê a Pastora e enamora-se dela.

Assinalando a solidariedade da natureza, e sobretudo a proteção que a noite oferece ao homem, o texto proclama a recuperação da ordem por intermédio da recusa à ação guerreira. O herói se converte em amante, o homem de ação que "não (tinha) nada para fazer o dia inteiro" (p. 24), em trabalhador dos "campos em volta da aldeia" (p. 40).

Nessa medida, o relato se encerra pela anulação de diferentes tipos de dicotomias, próprias ao gênero:

– a etária, já que os jovens têm mais sabedoria que os velhos;

– a política, uma vez que é o povo que toma a iniciativa de preservar o que julga certo, contrariando a ordem real;

– a ideológica, pois não mais se proclama a superioridade do homem sobre a natureza;

– a social, pois a Princesa se transforma em personagem itinerante (papel antes ocupado pelo Príncipe); além disto, como este torna-se um vaqueiro, o casamento não aparece como possibilidade de promoção na escala social;

– a ética, na medida em que não está fixado de antemão o lugar do bem e do mal, cabendo a cada um verificar a procedência e a validade desses conceitos.

Dessa maneira, *História meio ao contrário* compartilha com *Soprinho*, de Fernanda Lopes de Almeida, o questionamento do recorte maniqueísta da realidade. Também nesse caso o alvo é a verificação da validade dos conceitos pre-estabelecidos relativos ao bem e ao mal. E a trajetória dos meninos, em sua estada no Bosque Encantado, leva-os à experimentação de que "os dois lados [...] sempre foram misturados".[15] Nessa narrativa, as personagens mágicas igualmente corporificam – e de modo mais evidente – as forças da natureza: a Rainha é a Fada do Bom Tempo, e a tempestade, a chuva e o vento são protagonizados pelo Gigante Surumbamba, o Rei do Mau Tempo, cujo segredo é guardado pela Bruxa Asa Negra. Desse modo, *Soprinho* igualmente transita no âmbito da natureza, ressaltando seu caráter benéfico. Por essa razão, converte-se no cenário por excelência para a formação da personalidade, de modo que as personagens, jovens e crianças, necessariamente passam por uma transformação a seu contato. Eis o vínculo com o conto de fadas tradicional, assinalando que a ligação não provém apenas da utilização de seus elementos composicionais (personagens e sequência narrativa), mas também dos resultados a que chega a trajetória existencial das figuras humanas. É preciso verificar o que ocorre quando se introduz a paisagem urbana, como no relato de Bartolomeu Campos de Queirós, *Onde tem bruxa tem fada...*

Essa narrativa se incorpora ao gênero aqui analisado a partir de seu título, tendo como protagonista central uma ideia que se faz fada: Maria do Céu – "E Maria, ideia no céu, virou fada."[16] Sua trajetória terrestre é rápida e guarda analogias com o modelo cristão: vem ao mundo, não é reconhecida por ninguém, porque se defronta com uma sociedade materialista. Faz seu primeiro milagre – um menino aprende a ler sem ir à escola –, o que atrai a atenção das crianças, seus principais adeptos. Atende ao pedido de uma delas, mas, significando isto uma alteração da ordem adulta, é presa. Foge da cadeia e se aloja no sonho de cada criança: "visitou cada menino e entrou no sonho

---

[15] ALMEIDA, Fernanda Lopes de. *Soprinho*. São Paulo: Melhoramentos, s.d. p. 171.

[16] QUEIRÓS, Bartolomeu Campos de. *Onde tem bruxa tem fada...* Belo Horizonte: Vega, 1979. p. 8. As citações provêm desta edição.

deles. Viu que sonhavam com cidades onde toda fantasia era possível" (p. 25). Após se converter em ideia das crianças e projeto de ação, desaparece, mas seu efeito é sentido a cada momento:

> Quando algum adulto, impaciente com o desaparecimento da Fada, pergunta a um menino qual é o segredo que a Fada contou, ele responde: – "AMANHÃ EU FAÇO" (p. 27).

Assim, a presença da Fada na terra, quando ela recebe a adesão das crianças e se defronta com a reação do poder adulto (um banqueiro, um industrial, um economista, um delegado), corresponde à revelação de uma força infantil e a abdicação à esperança, pois esta significa uma protelação: "A Fada compreendeu por que era importante para os meninos terem esperanças. A esperança é uma coisa que sempre espera e nada faz" (p. 23). Objetivada a mensagem, está cumprida a missão; e a heroína volta a seu lugar de partida.

O caráter mítico do relato se complementa ainda por outros aspectos: a Fada é o elemento mediador entre dois polos – o adulto e o infantil; e sua proveniência é celeste, representando uma concepção que vem do alto e é transmitida aos que são merecedores dela, devido à sua pureza de alma. São os que podem sonhar, tornando-se, pois, permeáveis à mensagem fantástica.

Dessa forma, a narrativa pertence ao paradigma aqui examinado, na medida em que abole o compromisso do relato de fadas com a afirmação da ordem adulta. Essa é repressora, sobretudo quando envolvida com a sociedade capitalista e urbana; por isso, os vilões são representados por um elenco de figurantes relacionados às finanças e à indústria da construção: o banqueiro, o economista, o arquiteto. É essa configuração das personagens que aproxima o texto da realidade cotidiana: não são mencionados príncipes, castelos e gigantes, mas indivíduos inseridos no dia a dia, crianças, professores, delegados, o que indicia a contemporaneidade do conflito examinado. Dessa maneira, o tema discutido é atualizado, integrando-se ao horizonte tanto existencial como social de seus leitores.

Entretanto, ao contrário das histórias antes examinadas, essa reforça dicotomias. O fato já é comprovado pelo título, que acentua a oposição latente entre o bem e o mal. E essa cisão estará corporificada por duas ordens humanas – a infantil e a adulta, de modo que igualmente estes estados, que são por excelência transitórios e muitas vezes tão somente aparência (como comprovam as narrativas antes examinadas, de Ruth Rocha e Ana Maria Machado: os reis são as figuras mais pueris do relato), convertem-se em condições imutáveis. Em vista disto, não é o ser humano que é posto em questão, mas uma divisão passageira, tornada permanente e sinal de identidade.

Portanto, tratando-se aqui também de uma "fada que tinha ideias", estas últimas visam à consolidação da noção de que a idade infantil ou a adulta pertencem à natureza do ser humano. E que esse necessariamente se situa num dos polos da oposição, devendo compartilhar de seus valores – as crianças, com seu universo onírico; e os adultos, com seus interesses materiais e consumistas. O único elemento que não participa dessa visão é Maria do Céu, o que legitima seu papel mediador; porém, ela não pertence a este mundo, ela simplesmente "passou pela terra" (p. 27), legando uma mensagem que visa ao reforço do dualismo adulto/criança.

Assim, embora *Onde tem bruxa tem fada...* apenas tangencie o conto de fadas, afastando-se bastante de seu modelo narrativo e elenco de protagonistas, de fato ele insiste numa visão dicotômica da realidade, tão fértil no gênero. Com isso, acaba por acentuar as divisões (etária, social, ideológica) das quais depende a ordem adulta para confirmar seus privilégios. Em vista disso, esclarece-se em que medida o gênero, apesar de antigo e tradicional, pode ser o veículo para a transmissão de um sentido original da existência e da própria literatura: é por meio do questionamento de seus fundamentos ideológicos, valendo-se, para isto, de suas bases literárias. É o que se passa com *História meio ao contrário*, que retoma a estrutura do gênero para alcançar a inversão de seu efeito.

O exame das narrativas que se inscrevem no âmbito do conto de fadas revela que a qualidade dos textos advém, de um lado, da contradição às expectativas do leitor em relação a um padrão consagrado pelo uso. E, de outro, esse procedimento determina uma mudança no foco tradicional do gênero: em vez de se patrocinar a afirmação de uma ordem estabelecida, na qual os privilégios e o saber cabem aos adultos, promove-se a perspectiva dos jovens, perquiridora e rebelde em relação à arbitrariedade dos mais velhos. Enfim, facilita-se a dissolução de certas divisões instituídas discricionariamente na realidade, que, de maneira quase invariável, depõem contra o lado mais fraco: o da natureza, o da criança ou jovem, o das camadas inferiores. Produz-se, assim, um determinado questionamento do poder e propõe-se sua modificação, com base nos recursos mesmos que, em outras épocas e circunstâncias, serviram à sua consolidação, assim como da própria literatura infantil: o conto de fadas.

Examinada a produção nacional para crianças, não é apenas deste lugar que se desencadeou o processo de renovação artística, significando um redimensionamento do uso que até então se fazia do texto destinado à infância. É preciso assinalar, ainda que de modo mais breve, outras linhas de ação que chegaram a semelhante resultado.

Mesmo que se considere que não cabe insistir numa oposição entre realismo e fantasia, devido à sua falta de fundamento teórico, é necessário assinalar quais as metas de uma literatura voltada ao verismo na representação. Sua eclosão, que se deu sobretudo na segunda metade da década de 1970, coincidiu com uma rápida, mas decisiva, ascensão de uma ampla inclinação neorrealista na literatura brasileira, que procurou ocupar certos espaços então negligenciados na produção literária anterior: a narrativa de participação política e a representação das camadas populares. Se essa temática já havia gerado o romance de 30, na literatura infantil constituía-se numa lamentável lacuna: a tradição literária para crianças evitava o "lado podre" da sociedade, seja em termos sociais (ausência de temas relacionados ao sexo, às diferenças raciais ou conflitos de classe), seja existenciais, faltando a apresentação de determinados problemas familiares, como a falta de dinheiro ou dos pais, a morte, os tóxicos.

Se no tratamento do conto de fadas, o leitor é surpreendido, porque não ocorre o retorno do conhecido, no caso de uma literatura interessada na apresentação dos dramas sociais, ele se defronta com uma realidade inusitada e estranha. É o que se passa, por exemplo, com as histórias centradas no pequeno trabalhador ou no menor abandonado: *Lando das ruas*, *Pivete* ou *Os meninos da rua da Praia* valem-se, como na grande parte das histórias infantis, de personagens crianças; mas estas apresentam uma particularidade social – a de pertencerem às camadas marginais. Com este recurso, amplia-se o espaço de representação literária, aparecendo, além de setores sociais inéditos, cenários até então ausentes, como a favela ou o subúrbio, e relações humanas conflitantes: entre filhos e pais ou entre grupos antagônicos.

Por sua vez, a introdução de uma temática apropriada à narrativa de denúncia social na literatura infantil pode desencadear uma dificuldade em que submergem algumas criações: a insistência numa visão adulta do problema, de modo que o texto se converte num manual de regras para a percepção da realidade circundante. Por esse aspecto, ele pode cair na mesma armadilha do didatismo que aflige grande parte da produção para a infância. Por isso, é preciso que o tema se converta em gatilho para o desenvolvimento da ação; assim, em *Coisas de menino*, de Eliane

Ganem, o motivo típico da aventura policial – o roubo – se transforma em pretexto para a investigação da diferença de classes e exposição do problema do adolescente pobre que é empurrado para o crime. E torna-se necessário que o foco narrativo compartilhe a perspectiva dos pequenos heróis, a fim de que se amenize a influência adulta na percepção das questões sociais. Em *Os meninos da rua da Praia*, de Sérgio Caparelli, é o ponto de vista dos garotos – os jornaleiros – que predomina, de modo que emerge a visão que eles têm da realidade, segundo sua posição social e estado existencial, abstendo-se o narrador de uma interferência que auxilie a decodificação da mensagem:

> – Pra fora é mais fácil. Tem mais terra, muita terra.
>
> – Muita terra coisa nenhuma. Ninguém tem onde morar. Todo mundo vagueando em beira de estrada.
>
> A tartaruguinha se surpreendeu com o que dizia a mulher. Para ela, as distâncias eram muito grandes e a terra se perdia de vista. Atrás de um morro sempre existia um outro morro; depois de um rio corria outro. A terra era grande demais. Como podia a mulher dizer que não tinha terra? Na beira da estrada, terra; na ilha, terra; gado pastava na terra coberta de grama e capim. E como uma mulher e tantos meninos podiam não ter terra? Devia haver engano. Ela não tinha sido bem informada, qualquer coisa assim.
>
> – Claro que tem terra – falou Tonho. – Uma vez viajei com meu pai um mundão de quilômetros e na campanha tinha terra às pampas; se tivesse pouca, a gente teria ido mais depressa.
>
> – Ah bom – disse a mulher –, ter, tem. Mas de quem?
>
> – Ué, acho que de todo mundo, não é?[17]

Se, por um lado, a exposição dos males que afligem a sociedade brasileira se depara com a carência, por parte do

---

[17] CAPARELLI, Sérgio. *Os meninos da rua da Praia*. Porto Alegre: Instituto Estadual do Livro; L&PM, 1979. p. 54.

leitor mirim, de uma vivência social mais ampla, o que pode ser um fator de inibição no momento da criação literária, por outro, contribui para o alargamento dela. É nessa medida que pode dar margem à renovação no âmbito artístico, o que implica a necessidade de conversão do tema em evento narrativo. A preservação de um foco narrativo adequado às figuras ficcionais em cena será igualmente a condição da harmonia entre a realidade representada e sua enunciação ao leitor. Em outras palavras, a ampliação temática transmuta-se em recurso estético, de modo que a cosmovisão renovadora ressoa no interior da construção artística, dando-lhe coerência e verossimilhança.

Por isso, se o aspecto temático verista tem na literatura infantil uma importância como vanguarda, porque rompe com os padrões ordinários relativos às produções para crianças, sua plena realização dependerá de sua obediência aos parâmetros inerentes a toda a literatura: verossimilhança no tratamento da história, afinando o mundo representado à enunciação do narrador; e coerência no desdobramento da ação, que deve decorrer de uma necessidade interna e causalidade narrativa.

No exame de duas tendências da literatura infantil nacional, o que importa verificar não é uma oposição inócua e ineficaz entre o conto de fadas ou a fantasia e o realismo. E sim que ambos os gêneros se defrontam com certos padrões vigentes, que sucedem de uma tradição literária, procurando rompê-los e inová-los. Procedem-no de modo original e distinto, em decorrência do panorama com o qual se deparam. O conto de fadas quer ser o seu contrário, como diz o título do livro analisado, e contrariar este passado significa abdicar do uso dado ao gênero ao longo de sua história. Deixa, pois, de servir à afirmação da superioridade do mundo adulto, evidenciando a infantilidade deste, sua tirania ou arbitrariedade. Anulando também a percepção do mundo por dicotomias, enseja o desdobramento de uma percepção crítica da vida circundante, sem preconceitos. Portanto, a renovação se faz por um diálogo com o passado do gênero, modificando-o de acordo com sua intimidade. O resultado é o questionamento de uma ideologia incrustada naquela modalidade literária, o da passividade da criança e supremacia do adulto, que serviu por muito tempo aos propósitos didáticos com os quais as obras para a infância se comprometeram desde seu nascimento.

O processo é mais complexo quando se trata de uma literatura de denúncia social. Trata-se, neste caso, de incorporar dados externos à interioridade do livro infantil, que os renegou por muito tempo. Por isso, sacode com as estruturas literárias, que precisam ser acomodadas à nova situação. E, enquanto o conto de fadas pode ser remexido ao extremo, uma vez que se está questionando sua rigidez e automatização, a narrativa verista precisa se manter obediente às leis de necessidade e verossimilhança a fim de que permaneça literatura. O resultado é uma divergência de meios, o que pode ser falsamente compreendido como uma oposição de princípios ideológicos: o conto de fadas fica totalmente livre, porque problematiza um ideário estagnado, mas sempre acessível a todo leitor-menino; e o verismo amplia o espaço da representação, voltando-se ao mundo exterior; por isso, precisa se ater a um tipo de narrativa tradicional.

É por intermédio desses aspectos que se pode verificar dois rumos diversos no processo de evolução da prosa infantil brasileira. Sua validade decorre de sua infiltração em modelos tradicionais, visando transformá-los e, com isto, modificar a percepção do leitor, tanto em relação à literatura como em relação à realidade. Desse modo, se a literatura infantil nacional tem uma história relativamente breve, por outro lado ela apresenta modificações que denotam uma sensibilidade para os avanços da arte literária. Ao mesmo tempo, trata de renovar seus quadros internos, já que, quando se fala do conto de fadas, alude-se a um modo de expressão definitivamente incorporado à produção para crianças.

Todavia, a vanguarda no setor da literatura infantil dirige-se preferencialmente aos processos de escrita. Mesmo que ultrapassemos as fronteiras aqui estabelecidas – entre o conto de fadas e o verismo –, mencionando as preocupações com a simbolização da situação infantil e a investigação de seu mundo interior, como procede Lygia Bojunga Nunes, o resultado da análise será similar: as modificações se fazem no âmbito do texto, ao qual se agregam os programadores gráficos e ilustradores. Desse modo, a produção para crianças define-se antes por seu caráter literário, submetendo-se ao imperialismo da cultura textual antes descrito. De maneira que sua forma preferencial de comunicação dá-se pela palavra e depende do domínio de habilidades ligadas à leitura. Seu recebedor é, antes de tudo, um leitor, e ela existe para propagar esta condição. Se esse fato não indica que a literatura infantil permaneceu estática aos avanços dos outros meios de comunicação, sua trajetória deu-se nos limites do literário, apropriando-se das conquistas da arte com a palavra.

Por isso, seu dinamismo decorre de seus contatos com o campo dentro do qual se inscreve e de onde retira suas regras de ação: a arte literária inteira. Depende de tal associação não apenas seu desenvolvimento histórico e caráter de vanguarda, mas seu valor e permanência. Em vista disso, ela não se posiciona ao lado dos meios de comunicação de massa, embora esses a ameacem continuamente.

Literatura Infantil e Outros Meios de Comunicação

A inserção da literatura infantil não apenas se faz nos quadros da escrita, como é desta relação que ela retira suas normas e valor. Isso significa sua permeabilidade à história literária e a necessidade do compromisso do escritor com uma iniciativa para o novo e o transformador. Todavia, as obras para crianças absorvem recursos de outros meios de comunicação, sobretudo os de ordem óptica, como a exploração do visual, próprio às artes pictóricas e aos veículos de cultura de massa. Essas interferências, porém, não atingem o âmago do gênero, dando-se na periferia e facilitando o trânsito do texto em regiões dominadas pela história em quadrinhos, por exemplo, ou pela televisão.

Tal circunstância, de que a literatura infantil renova-se enquanto se mantém fiel a si mesma, afirma a soberania do texto, já referida. O que acontece quando ela abdica dessa condição e transforma-se em auxiliar para outros meios de comunicação? Isto é, o que ocorre quando se examina a recíproca da situação anteriormente desenhada?

A menção a outros meios de comunicação determina inevitavelmente a associação com a cultura de massa. Pois, quando se verifica a relação entre as artes nobres, como a literatura, o teatro, as artes plásticas, a conclusão é sempre pela irredutibilidade de suas linguagens. Teatro não é literatura dramática, é *mise-en-scène*; e o filme tem sua estética própria, o que dificulta sua comparação com a literatura, mesmo quando os argumentos são idênticos. Assim, se se postula que a literatura infantil é antes de mais nada arte literária, por suas aproximações estéticas, ela vem a participar da mesma irredutibilidade no âmbito da linguagem. E o fato de afirmarmos que ela é primordialmente texto, colaborando até na expansão de uma cultura textual, vem a comprovar a unidade.

No entanto, seria ilusório confinar pura e simplesmente a literatura infantil ao terreno da arte literária. A existência do vínculo não impede que os livros para crianças circulem como cultura de massa, já que estão comprometidos com um sistema de divulgação e consumo característicos da indústria cultural. Em vista disso, eles passam, quando examinados em quantidade, pelos mesmos processos de produção a que se une grande parte da indústria do livro infantil: grandes tiragens, repetição de clichês, personagens estereotipadas, banalização do assunto, reforço da ideologia vigente. Assim, o modo de produção a que se une grande parte da indústria do livro infantil provoca sua expansão, de maneira que sua penetração nos lares burgueses é muito maior que qualquer outro tipo de literatura. Todavia, isso não significa que esse fato a desvalorize; com efeito, o prejuízo maior da literatura infantil pode decorrer de sua adesão à pedagogia, como incentivadora de comportamentos socialmente adequados e edulcorando a visão da criança, rumo à sua aceitação do sistema em vigor.

O esforço da obra infantil para converter-se em arte pode afastá-la tanto da inclinação pedagógica, quanto da trivialização da existência e do rebaixamento do estilo. Por isso, se a linguagem da literatura infantil não pode ser transplantada para outros meios de comunicação, devido à irredutibilidade antes mencionada e ao fato de suas transformações darem-se no universo da escrita, enquanto os outros apelam ao visual, ela pode funcionar como espelho no qual eles se podem mirar, na medida em que compartilham a dificuldade de massificação. Se coube à literatura infantil o desejo de liberar-se da orientação ao consumo e à solidificação de ideias prontas, o que a separa da influência pedagógica, incorporando qualidade poética à produção quantitativa, ela atua como um exemplo para as demais criações voltadas à criança. Por isso, sem renunciar à difusão em grande número, essas podem atingir um valor maior, contribuindo para o crescimento da arte e abrindo novos caminhos à sua expansão no mercado consumidor. Somente assim poder-se-á depor os preconceitos contra as artes menores, que decorrem de sua farta veiculação, e se pesquisar trilhas originais em cada uma das diferentes modalidades, evitando a renúncia à especificidade de suas respectivas linguagens. E inaugurar-se rotas novas de ação que avancem além do texto, sob cujo abrigo vive contemporaneamente a cultura ocidental.

O VERISMO E A FANTASIA DAS CRIANÇAS

Literatura Infantil e Realismo

Após um período de visível estagnação nos anos 1950 e 60, o gênero infantil passou, na década de 1970, por uma renovação, proveniente do aparecimento de um bom número de novos autores. O fato pode ser associado ao desenvolvimento da literatura brasileira em sua totalidade, uma vez que se assistiu a uma grande movimentação, devido à eclosão de um grupo novo de contistas e poetas (os "novos", os "marginais", a "geração mimeógrafo"), assim como à ocorrência de acontecimentos de ordem social ou política, visando agregar os homens de Letras em torno de ideais comuns.

O aparecimento de novos autores e de muitos livros para crianças não significou necessariamente que todos fossem renovadores ou que tivessem boa qualidade literária; ou ainda, que seguissem uma linha uniforme de conduta. Contudo, ao menos evidenciou-se uma orientação comum no grupo de escritores que se impôs, coletivamente pode-se dizer, um programa determinado, dispôs de uma editora especializada e foi recebido pela crítica como a vanguarda da literatura infantil brasileira. Tratou-se da adoção de um programa de perspectiva realista na criação dos textos, ao mostrar a vida "tal qual é" ao leitor mirim. André Carvalho, editor da

Coleção do Pinto, da Editora Comunicação, Belo Horizonte, sintetizou esta aspiração com as seguintes palavras:

> E ele nos dá um livro forte, corajoso, com uma temática que vai assustar pessoas que ainda acreditam em meninos desinformados e que não participam de problemas sociais, mas que vai responder aos interesses das crianças e pais atentos à realidade do mundo de hoje.

Patenteia-se o propósito verista desses textos, o que demonstra a coincidência dessa orientação dada à produção destinada às crianças e o desenvolvimento da literatura brasileira daqueles anos, em que se verificou, com João Antônio, Ignácio de Loyola Brandão e outros, a preocupação com a fotografia da sociedade brasileira, principalmente dos segmentos populares urbanos, traduzindo sua linguagem e visão de mundo, no sentido da denúncia de uma realidade imediata. O caso extremo foi dado pelo chamado romance-reportagem (José Louzeiro, Aguinaldo Silva, Plínio Marcos), que pretendia abolir a ficção da narrativa, a fim de tornar mais pungente e eficaz a amostragem de uma "fatia da vida". Se o objetivo temático foi retirar a matéria ficcional da vida presente, o modelo literário encontrado não era tão atual, pois provinha do romance naturalista de Zola (de Aluízio Azevedo, na versão local) e do realismo da década de 1930, que reagiu à vanguarda modernista dos Andrade.

Se foi a Editora Comunicação, de Belo Horizonte, que se transformou no principal reduto desta literatura infantil realista, o exame das obras aí publicadas pode apontar para as vantagens e os limites de tal conduta literária.

Coleção do Pinto – O Programa Realista

Além do editor André Carvalho, críticos literários se pronunciaram relativamente à produção da Editora Comunicação. Escreveram eles:

1. O escritor parte da constatação de que o recebedor virtual do livro infantil, a criança, não é o mesmo de antigamente, o que o motiva à criação de obras diferentes. É o que Henry Corrêa de Araújo declara a Luís Fernando Emediato: "As crianças de hoje são mais adultas que as de ontem, e não merecem aquelas histórias um tanto imbecis e fora de época, aquelas fadas, varas de condão, príncipes encantados, bruxas, caçadores, porquinhos e chapeuzinhos vermelhos".[18]

2. Não apenas se modificou o destinatário, mas igualmente as intenções do emissor: ao escrever seu livro, ele quer "manter esta criança com os pés na terra, na realidade" (Corrêa de Araújo, loc. cit.). Deve abordar, pois, "um problema social imediato" (Danúsia Bárbara), do que resulta uma obra "mais realística e social".[19] Assim, o objeto desses textos coincide com o da literatura naturalista antes mencionada.

3. Qual a finalidade do compromisso com o real imediato? Ampliar a visão de mundo da criança, ou, como escreve Ricardo Ramos, "o objetivo parece ser o de demonstrar que a criança não pode ser murada".[20] No entanto, H. Corrêa de Araújo reconhece que não se pode mostrar tudo: "É claro que, escrevendo para crianças, não pude contar certos fatos, certas coisas que vi, como o uso de drogas, o problema sexual. Não pude também empregar o seu linguajar típico, pois é violento demais" (loc. cit.).

4. Resulta daí a presença nos textos (mesmo quando atenuada) da violência, o que, todavia, não é novidade para

---

[18] EMEDIATO, Luís Fernando. A literatura infantil abandona o reino do faz de conta. *Jornal do Brasil*, Rio de Janeiro, 21 maio 1977. Livro.

[19] BÁRBARA, Danúsia. A violência da vida real, *Jornal do Brasil* Rio de Janeiro, 21 maio 1977. *Livro* n. 33. p. 6.

[20] RAMOS, Ricardo. Realismo, em sinal de respeito à criança. *IstoÉ*, São Paulo, n. 32, p. 40-41, 3 ago. 1977.

a criança de hoje: "Por que continuar falando às crianças nesta linguagem cheia de *inhos* e *inhas* se ela passa três quartos da infância diante da televisão, deglutindo crimes, estupros, novelas, uma infinidade de coisas violentas e alienantes?" (Corrêa de Araújo, loc. cit.). Além disso, a violência sempre fez parte da literatura infantil: "Quem se lembra bem das histórias que ouviu em criança não vai achar o livro tão violento. É menos do que *João e Maria*, abandonados pelos próprios pais e que por pouco escapam de serem devorados por uma bruxa. Muito menos que *Pele de Asno*, obrigada a fugir das intenções incestuosas de seu pai. Comparado com a *Bela Adormecida*, quase trucidada com seus dois filhos pela sogra, ou com a pequena vendedora de fósforos de Andersen, que morre de frio no Natal, é um texto muito suave" (Danúsia Bárbara, loc. cit.).

As Narrativas Infantis Produzidas

A Coleção do Pinto conta com quatro títulos: *O menino e o pinto do menino*, *Os rios morrem de sede*, ambos de Wander Piroli, *O dia de ver meu pai*, de Vivina de Assis Viana, e *Pivete*, de Henry Corrêa de Araújo. Em tais histórias, são focalizadas as seguintes questões:

– a vida familiar, com as dificuldades econômicas que assolam a classe média brasileira, assim como os problemas de relacionamento entre os pais, determinando eventualmente a separação do casal e a solidão dos filhos;

– a poluição, resultado do crescimento urbano e do abandono pela sociedade de suas fontes naturais;

– a desigualdade social urbana, que origina uma classe marginal, levada ao crime pela necessidade de assegurar as suas condições mínimas de sobrevivência.

Esses temas não podem ser considerados peculiares à literatura infantil, nem se enraízam numa tradição da qual se apropriou este gênero (a dos contos de fadas, por exemplo). Pelo contrário, dizem respeito especificamente à vida brasileira moderna, urbanizada, que sofre os percalços do crescimento econômico desigual. Além disso, o lugar que as personagens ocupam na sociedade é sempre inferior: sejam eles pivetes ou pertençam à classe média, todos estão afastados dos mecanismos do poder, o que atesta sua impotência diante de uma engrenagem que os sacrifica. Mais uma vez defrontamo-nos com temas que povoam a literatura de João Antônio, Rubem Fonseca, Wander Piroli (nos contos não destinados às crianças).

No entanto, o fato de ocorrerem em livros infantis gera uma série de problemas não resolvidos, como os que se seguem:

– A primeira dificuldade é dada pela impossibilidade de esclarecer as causas das irregularidades denunciadas, sobretudo quando se trata de questões sociais (a poluição, o trombadinha). A exceção aparece por meio do tema do desquite, que não é propriamente social; no entanto, como a autora não esclarece a razão de ser da separação, a personagem infantil, e o leitor por extensão, mais uma vez fica privada de conhecer o porquê, fato que acentua a paralisia antes referida.

– O ponto de vista com que a história é narrada é sempre o do adulto, não o da criança, traduzindo uma dificuldade permanente da literatura infantil e que depõe contra ela, uma vez que a torna um meio de manobrar o pequeno leitor e incutir-lhe suas ideias.

Em *Os rios morrem de sede* e *Pivete*, o problema relativo ao foco narrativo é mais flagrante; no primeiro, não é a decepção do menino durante a pescaria falhada o que ocupa o primeiro plano, mas a de seu pai. E *Pivete* é, como escreve Ricardo Ramos, "uma história contada de fora para dentro" (loc. cit.), pois predomina a preocupação do autor em justificar o problema social dos trombadinhas ao leitor que evidentemente não é um deles. Mais uma vez a exceção está constituída pelo livro de Vivina de Assis Viana, narrado em primeira pessoa pelo menino que, entretanto, permanece em interrogação constante sobre o mal que o aflige, sem que seus pais o esclareçam.

– Como as personagens defrontam-se com situações de certo modo insolúveis, torna-se impraticável qualquer ação. Daí o clima sentimental resultante e o excesso de lágrimas derramadas. Os casos extremos são *O menino e o pinto do menino* e *O dia de ver meu pai*, cuja ação transcorre no meio familiar. Considerando que o choro é uma reação típica da criança a uma situação de impotência ou contrariedade, vê-se que os livros identificam-se aos leitores a que se destinam, sem todavia propor-lhes uma saída menos passiva.

Em vista disso, torna-se claro que, à iniciativa de trazer a realidade imediata do leitor (pelo menos, daquele que vive em grandes centros urbanos e pertence à classe média) para dentro de seus livros, o que é, por todas as razões, louvável, corresponderam alguns percalços: como nomear as causas profundas da situação que vive e como propor uma ação que o retire da apatia que se verifica ao final do texto e que seja ao mesmo tempo compatível com a condição infantil?

Tais questões não pertencem apenas à literatura infantil nacional; com efeito, elas se colocam a todo aquele que se dispõe a fazer livros para crianças que agudizem a sua visão de mundo, sendo concomitantemente emancipatórios. No entanto, se faltam à criança um senso do real mais desenvolvido, vivências mais profundas e um conhecimento que lhe permita decodificar apropriadamente sua circunstância, não se pode esperar que uma literatura infantil rigorosamente realista preencha o efeito desejado, pois para tanto teria de contar com o que ainda não existe.

É talvez o recurso à fantasia que pode ocupar essa lacuna, mas, neste caso, trata-se da renúncia ao pressuposto realista. Isso significa que, à literatura infantil, cabe proceder à virada que tem caracterizado a produção narrativa dos últimos anos, apropriando-se dos recursos ficcionais vinculados ao fantástico. Por sua vez, como a fantasia pode atuar num texto dessa natureza? D. Richter e J. Merkel, pesquisadores alemães de uma literatura infantil progressista e, ao mesmo tempo, adequada à perspectiva da criança, procuram esclarecê-lo, recusando em princípio uma explicação exclusivamente psicanalítica dada ao processo mental que produz a fantasia. Assim, em vez de tomá-la apenas como compensatória, tais autores consideram que ela pode também tornar-se um meio de transformação de uma realidade vivida como opressiva. O exemplo oferecido é o do conto de fadas, cuja propagação deu-se durante o feudalismo, quando refletia o anseio da camada popular inferiorizada de se libertar de seus opressores. As personagens fantásticas, como fadas, e as propriedades mágicas, como a força sobrenatural ou as múltiplas metamorfoses, vêm a ser a transfiguração, em meios palpáveis e concretos, do desejo de transformação social, embora demonstrem também a impossibilidade de uma modificação do estado vigente, por intermédio dos instrumentos imediatos e reais à disposição do camponês revoltado com sua condição servil.[21]

Pasteurizadas posteriormente pelos Irmãos Grimm, essas narrativas perderam a carga de rebelião que continham, vindo a colaborar na formação da criança burguesa, o que justifica sua rejeição, como foi citado antes, por aqueles que querem produzir uma literatura infantil renovadora. Contudo, é patente que elementos de inclinação fantástica, oriundos de uma fantasia criadora, podem exercer uma função não alcançada por um verismo restrito, a saber:

– colocar as causas reais dos problemas vividos pelas personagens, já que o recurso ao maravilhoso pode superar

---

[21] RICHTER, Dieter; MERKEL, Johannes. *Marchen, Phantasie und soziales Lernen*. Berlin: Basis Verlag, 1974.

as barreiras impostas por sua representação naturalista do espaço e do tempo;

– fazer com que a criança colabore no desempenho do papel transformador, desenvolvendo sua atividade criadora, devido à identificação do leitor com a personagem que rompe os limites impostos pela sociedade repressora;

– adotar um ponto de vista representativo do ângulo infantil.

É nessa medida que a fantasia, que orienta o emprego de personagens e recursos fantásticos no interior do texto, assume grande proeminência na literatura infantil e, não sendo meramente compensatória (e, neste sentido, regressiva), exerce função emancipadora. Entre a produção nacional recente, pode-se destacar o livro de Fernanda Lopes de Almeida, *A fada que tinha ideias*.

As características dessa obra são discerníveis a partir de seu título: o universo é fantástico, pois as personagens são fadas; e, entre estas, salienta-se uma que "tinha ideias", de modo que sua virtude principal consiste na criatividade que possui e fuga aos padrões convencionais. Com efeito, a heroína, Clara Luz, desde as primeiras páginas da narrativa, chama a atenção por seu temperamento original, que segue suas inclinações mais espontâneas e rejeita o que lhe parece autoritário ou ultrapassado (representado pelo Livro das Fadas, a que suas companheiras obedecem). Em virtude disto, entretanto, ela desencadeia uma autêntica crise de Estado, quando suas ideias, que são manifestações de espontaneidade e liberdade de criação (de fantasia, portanto), invadem o palácio da Rainha, fonte de repressão e arbitrariedade. O confronto entre as duas personagens, nos capítulos finais, representa – como no conflito entre Alice e a Rainha de Copas – a oposição entre o velho e o novo, a autoridade e a liberdade, o medo (vivido pelas Fadas-Mães, diante da ameaça de despejo, ou pelas Conselheiras, que não querem perder seus vultosos honorários) e a coragem de quem sabe que tem ideias próprias.

Colocando questões centrais relativas à vida da criança e solidarizando-se com a óptica desta última, o que sai valorizado é o mundo infantil enquanto simboliza manifestação do novo, do livre e do criativo. Por sua vez, é pela presença do elemento fantástico que a imaginação adquire vida (como a chuva colorida ou a ampliação dos horizontes), exercendo a representatividade esperada; igualmente, torna-se possível o acesso da criança aos mecanismos que manipulam o poder, visualizando o exercício da autoridade, desde seus sintomas aparentes – a velhice, a "rabugice" – até suas singularidades mais obscuras, como o parasitismo das Conselheiras e o servilismo das Damas de Honra.

Contudo, o mundo das fadas não paira no indeterminado, alimentando-se, pelo contrário, de referências à vida urbana nacional, isto é, à vida brasileira contemporânea. Todavia, o âmbito escolhido pela autora restringe-se praticamente ao lar e à escola. Em razão disso, não estão integrados ao relato aspectos da realidade masculina, como o trabalho e o relacionamento com a mulher (para não falar do que constitui a matéria dos livros de Wander Piroli: dificuldades econômicas, poluição etc.). A única família completa é a do Sr. Relâmpago, mas este parece antes um velho aposentado, sem maior atuação no meio social, do que resulta a supremacia do gineceu e do horizonte feminino ao longo do livro.

A fada que tinha ideias configura, pois, uma alternativa ao realismo estrito de que se falou antes e demonstra como, de acordo com as oportunidades ficcionais desencadeadas pela fantasia, é possível uma literatura emancipatória, conduzindo a atenção da criança à discussão dos valores que a circundam e, concomitantemente, assentando-se na realidade imediata percebida pelo leitor.

A REPRESENTAÇÃO DA FAMÍLIA

Sendo a literatura infantil um dos tantos produtos culturais oriundos da ascensão da camada burguesa, sua instalação na sociedade brasileira teve de aguardar a emergência das classes médias urbanas. Esse processo deu-se a partir da segunda metade do século XIX, devido, de um lado, à implantação de um setor burocrático no Rio de Janeiro: a expansão do aparelho administrativo do Império demandou pessoal, engrossando o grupo incipiente de funcionários num estamento que se solidificou cada vez mais, a partir de então.[22] De outro lado, a interrupção do tráfico de africanos propiciou a aplicação de recursos monetários, originalmente destinados ao mercado de escravos, na indústria nascente. Mauá, inaugurando a comunicação ferroviária entre a Corte e Petrópolis e pondo em relevo a importância do desenvolvimento industrial, encarna o novo tipo emergente; e sua aliança com os ingleses revela que a inclinação a outros modelos econômicos não rompe a dependência colonial a uma Metrópole estrangeira, no caso a britânica. Somem-se a estes fatos o crescimento comercial do Rio de

---

[22] Cf. a propósito deste fenômeno FAORO, Raymundo. *Os donos do poder.* Formação do patronato político brasileiro. Porto Alegre: Globo; São Paulo: Universidade de São Paulo, 1975.

Janeiro, devido às exportações do café, a expansão agrícola e financeira de São Paulo, o ensino universitário facilitando o surgimento do profissional liberal, a organização do exército e sua nova influência na vida brasileira, e ter-se-á um quadro dos segmentos que permitiram a formação de um grupo, heterogêneo, é certo, que consistiu a base da burguesia nacional.

A ascensão da escola e da educação faz parte desse mesmo panorama, cabendo a ambas garantir a transmissão das normas sociais em vigor e a obediência aos interesses do Estado, quais sejam, a valorização da pátria e suas instituições. Assim, o Segundo Reinado presencia e estimula, de um lado, a arregimentação da sociedade burguesa e, de outro, a emergência de seus instrumentos de ação: uma ideologia da família, patrocinada em sua privacidade e isolada das influências dos laços de parentesco, os quais constituíram, no período colonial, um sistema de relações bastante forte e autônomo; e a organização da escola, lugar de integração do ser humano aos padrões burgueses e urbanos de vida.

Pertence a essa moldura a valorização específica da infância. Jurandir Freire Costa narra o processo histórico brasileiro, versão nativa do fenômeno europeu: a norma familista se consolida quando de uma descoberta da criança. A faixa etária correspondente à infância recebe nova importância, passando a criança a ser o centro de interesse da célula unifamiliar, que se volta à sua conservação de acordo com uma divisão de papéis: a mãe torna-se a responsável pelo lar e pela preservação dos filhos, a provedora de alimentação e afeto; e o pai assume os encargos financeiros do pequeno grupo, advindo do trabalho sua principal fonte de renda.[23] O ócio não é produtivo e, numa

---

[23] Cf. a propósito COSTA, Jurandir Freire. *Ordem médica e norma familiar*. Rio de Janeiro: Graal, 1979. V. ainda MACHADO, Roberto; LOUREIRO, Angela; LUZ, Rogério; MURICY, Katia. *Danação da norma*. Medicina social e constituição da psiquiatria no Brasil. Rio de Janeiro:

sociedade que vai se identificando com os valores do capitalismo, ele começa a ceder terreno para o prestígio da ocupação rendosa.

Em vista disso, não é surpreendente que a literatura infantil faça seu aparecimento na sociedade brasileira que transita da Monarquia à República. Os primeiros textos confundem-se com o livro didático, e um dos autores, Carl Jansen, produziu obras sobretudo para o ensino, tendo se destacado como educador. Desse modo, ao mesmo tempo que adapta narrativas consagradas na Europa pelo gosto infantil – como *Robinson Crusoe* ou *Aventuras do Barão de Munchhausen* –, traduz livros didáticos dedicados à ciência, revelando sua preocupação em promover essa área de conhecimento em nosso meio:

> Esperamos, pois, que estes pequenos, mas valentes batalhadores pela ciência, abrirão caminho nas demais províncias de nosso país, a fim de tornar uniforme em todas as nossas escolas o estudo tão indispensável deste ramo de conhecimento.[24]

A vinculação do livro infantil ao ensino não é privilégio de Jansen. Mesmo que se ignore o caráter moralizante da maioria dos textos produzidos na época, como nos con-

---

Graal, 1978. A respeito de história da educação e/ou da família, v. ainda: ARIÈS, Philippe. *História social da criança e da família*. Rio de Janeiro: Zahar, 1978. CHARLOT, Bernard. *A mistificação pedagógica*. Rio de Janeiro: Zahar, 1979. DONZELOT, Jacques. *The policing of families*. New York: Pantheon Books, 1979. POSTER, Mark. *Teoria crítica da família*. Rio de Janeiro: Zahar, 1979. RIBEIRO, Maria Luisa Santos. *História da educação brasileira*. A organização escolar. São Paulo: Cortez & Moraes, 1979. SHORTER, Edward. *The making of modern family*. Glasgow: Fontana/Collins, 1979. STONE, Lawrence. *The family, sex & marriage in England 1500-1800*. London: Penguin, 1979.

[24] JANSEN, Carl. Ao leitor. In: GEIKIE. *A geografia physica*. Adapt. de Carl Jansen. 3. ed. Rio de Janeiro: Francisco Alves, s.d. (Impressão em Lisboa). Carl Jansen data de 22 de outubro de 1882 seu prefácio (cuja atualização ortográfica foi procedida por nós).

tos de Figueiredo Pimentel, o autor mais conhecido do período, é preciso reconhecer a preocupação pedagógica de Monteiro Lobato, em relatos como *Geografia de D. Benta* ou *História do mundo para crianças*. Não sendo, evidentemente, obras conformistas, nem destinadas ao uso no colégio, Lobato lhes dá um caráter escolarizante, reproduzindo Dona Benta a posição de mestra – crítica e boa ouvinte das interrupções dos meninos, é certo – e Pedrinho, Narizinho e os outros, a de alunos compenetrados, atentos à lição transmitida.

Assim, é no âmbito da ascensão de um pensamento burguês e familista que surge a literatura infantil brasileira, repetindo-se aqui o processo ocorrido na Europa um século antes; e, como no Velho Mundo, o texto literário preenche uma função pedagógica, associando-se muitas vezes à própria escola, seja por semelhança (convertendo-se no livro didático empregado em sala de aula) ou contiguidade (o livro de ficção que exerce em casa a missão do professor, como nas narrativas de cunho histórico de Viriato Correia e Érico Veríssimo, ou informativo, em Monteiro Lobato). Todavia, cabe examinar um outro processo adjacente ao fenômeno histórico: como o gênero destinado às crianças reflete sobre as condições sociais que decretaram seu nascimento. Isto é, como a ficção apresenta a família burguesa, foco com base no qual veio a existir a infância tal como a concebemos hoje e a arte literária a ela dirigida. Deste modo, o procedimento é voltar às origens do problema, contudo, por intermédio de sua inscrição na obra ficcional.

O Modelo Eufórico

A literatura infantil não pode ser considerada, em sentido estrito, uma modalidade realista de representação. Apresentando entidades mágicas, como fadas e duendes, seres antropomorfizados, como animais e objetos, e ainda as possibilidades de metamorfoses múltiplas, a arte destinada à criança confunde-se muitas vezes com o animismo que caracteriza seu pensamento. Por isso, a instalação pura e simples da estrutura familiar nas histórias nem sempre ocorre, pois a relação entre a realidade social e sua tradução ficcional pode ser filtrada de tal modo por variados instrumentos de mediação, que estes acabam por atenuar e diluir, de maneira crescente, a reprodução do imediato. Entretanto, mesmo no conto de fadas tradicional existe um resíduo de vida familiar burguesa. Embora a procedência dessas narrativas seja popular, vinculada a uma sociedade marcada pelas relações feudais de produção, durante o transplante, feito pelos Irmãos Grimm, do mundo original que elas mostravam para a vida urbana da Europa em fase de industrialização, foram introduzidas circunstâncias próprias à família burguesa, à sua ideologia e sequelas traumáticas. Por causa dessa passagem, Bruno Bettelheim pôde descobrir nelas vestígios do complexo de Édipo (como na "Branca de Neve e os sete anões"), das fases do amadurecimento da criança rumo ao princípio da realidade (em "Os três porquinhos"), e assim por diante.[25] O abrandamento dos laços da personagem com a vida exterior e a concentração daquela no setor exclusivo da família, afrouxando a crítica ao poder político que havia nos contos primitivos,[26] são igualmente fatores que comprovam a inserção dos relatos na vida burguesa e a possibilidade de examiná-los à luz do critério ideológico.

Todavia, devido ao processo de transfusão que marcou o início da literatura infantil nacional, com Figueiredo

---

[25] BETTELHEIM, Bruno. *A psicanálise dos contos de fadas*. Rio de Janeiro: Paz e Terra, 1978.

[26] Cf. RICHTER, Dieter. Til Eulenspiegel – der asoziale Held und die Erzieher. *Kindermedien. Asthetik und Kommunikation*. Berlin: Asthetik und Kommunikation Verlag, n. 27, 1977. RICHTER, Dieter; abr. MERKEL, Johannes. *Marchen, Phantasie und soziales Lernen*. Berlin: Basis Verlag, 1974.

Pimentel se apropriando ou da tradição ibérica ou dos contos de Perrault e Grimm, os quais simplesmente adaptou, torna-se preferível verificar o tema de acordo com os escritores modernistas. Nesse sentido, a obra de Érico Veríssimo oferece um bom exemplo, pois, embora tenha sido produzida à sombra de Monteiro Lobato, elabora um modelo da vida familiar característico de boa parte da prosa nacional: é aquele que privilegia os valores da existência doméstica, encerrando nela as personagens infantis. Portanto, transparece aqui uma euforia com a vida administrada pela família, que lega a seus rebentos os principais padrões da sociedade.

Examinada em conjunto a produção de Érico Veríssimo, verifica-se que as personagens centrais de seus livros são ou representam crianças: ao primeiro caso, pertencem Fernando (*As aventuras do avião vermelho*) e Rosa Maria (*Rosa Maria no castelo encantado*); ao segundo, os animais antropomorfizados: os três porquinhos (*Os três porquinhos pobres*; *Outra vez os três porquinhos*), o elefante Basílio (*A vida do elefante Basílio*) e o Urso (*O urso com música na barriga*). No início das histórias, todas elas vivem fechadas em casa. Os porquinhos, que se queixam do chiqueiro onde moram, corporificam melhor esta situação de clausura, com a qual não se conformam. Tal rebeldia e mais o desejo de aventura determinam a fuga: os porquinhos e Fernando abandonam, logo que podem, o lugar de origem e soltam-se pelo espaço; o Urso e Basílio são levados para fora por outros, mas igualmente lançam-se ao mundo e precisam sobreviver nestas novas circunstâncias.

No entanto, voluntariamente ou não, esses aventureiros sempre retornam; os três porquinhos terminam num outro chiqueiro, onde ouvem histórias contadas por Chapeuzinho Verde; Fernandinho acaba em casa, repreendido pelo pai; o Urso reencontra seu lar, e Basílio, uma nova família, tão solícita quanto a primeira. O circuito dos heróis vai da casa para o universo e, deste, para os braços dos pais. É, pois, a família o setor promovido pelos textos, porque ali os heróis estão seguros, embora a tenham abandonado inadvertidamente. E essa promoção fica tão mais evidente quando os protagonistas deixam a casa a contragosto: Basílio, feito prisioneiro, espera pacientemente a liberdade, que coincide com a adoção pelo pai de Gilberto; e o Urso, comprado por insistência de Rafael, sonha em voltar para seus genitores, o que consegue, após fugir de seu dono.

Por sua vez, são os progenitores as figuras que detêm o poder e a razão nos relatos: Gilberto ganha o elefante, e Rafael, o urso, porque seus pais podem comprar os bichos para os filhos. E é o pai de Fernando que lhe doa o livro e, mais tarde, o avião, objetos que estimulam a fantasia do menino e o desejo de voar por ambientes desconhecidos. É esse poder de compra que assinala o lugar social das personagens paternas e, simultaneamente, a força de seu raciocínio; por isto, elas têm sempre razão. Mesmo famílias mais modestas, como as de Basílio e do Urso, têm no progenitor a voz da razão, aquela que explica ao pequeno elefante o valor da moral, do bom comportamento, da tolerância e da paciência.

Assim, o universo dos textos divide-se em duas camadas, a das crianças, que abandonam o campo domiciliar, mas não têm condições de romper com ele definitivamente; a dos adultos, de preferência os pais (as mães são raras nestes relatos), que regulam a vida familiar, ordenando suas concepções existenciais e o *modus vivendi*.

Entretanto, o fato de as crianças buscarem romper este cerco pode ser o sintoma de uma insatisfação. Sem dúvida, esta última ocorre, sendo posta em relevo uma monotonia, como fazem os porquinhos, que querem deixar o chiqueiro. No entanto, igualmente acontece que a experiência trazidas pelas crianças é a de que: ou o mundo caseiro é superior em sua tranquilidade pequeno-burguesa, o que se passa em *A vida do elefante Basílio* ou *O urso com música na barriga*; ou o contato com a realidade externa nada acrescenta à interioridade da personagem, pois aquela se apresenta de modo desconexo e desvinculado do conhecido.

Em razão disso, o patrocínio da vida familiar como setor restrito ao convívio entre pais e filhos, no qual dominam os primeiros, não decorre apenas da ênfase posta neste modelo de existência. Advém igualmente da negação de qualquer outro tipo de experiência relativa ao mundo exterior, sobretudo porque este não adquire contornos precisos, evitando-se a possibilidade de que se identifique com algo conhecido. Assim, não é apenas o protagonista criança que retorna ao lar; é igualmente o leitor que, acompanhando a trajetória dos heróis mirins, reconhece seu pequeno mundo somente quando a personagem está ou volta à casa. Fecha-se o circuito doméstico e, dentro dele, está aprisionado o leitor, levado a prestigiar não apenas sua circunstância, mas os papéis adultos e dominadores exercidos pelos pais.

O Modelo Crítico

A presença de uma visão benevolente em relação à vida familiar caracteriza grande parte da produção literária destinada às crianças. Isto significa que permanece viva em mais outros autores, podendo caracterizar-se seja pelo prestígio concedido ao modelo doméstico, do qual não se deve escapar, como em *O sobradinho dos pardais*, de Herberto Sales, ou *A casa das três rolinhas*, de Marques Rebelo; seja pela atribuição de um poder crescente dentro da narrativa à figura infantil, como nos relatos de Edy Lima, em que o narrador criança tão somente testemunha os eventos, não podendo participar ativamente dos principais fatos apresentados. Por sua vez, em *A fada que tinha ideias*, de Fernanda Lopes de Almeida, é proposta uma reforma da estrutura, partindo do interior da família: Clara Luz é a criança que modifica o comportamento do grupo, embora não transforme a modalidade social e política vigente. Portanto, é o modelo familiar liberal que sai prestigiado. O novo relevo dado à criança ainda ocorre em *O menino mágico*, de Raquel de Queirós, e *A curiosidade premiada*, de Fernanda Lopes de Almeida.

A partir daí, cabe verificar se é possível a elaboração de um modelo crítico da família, investigando quais os seus efeitos na representação quando se pensa que a literatura infantil permanece circunscrita aos ideais expostos no início: os da vida burguesa, balizados pela valorização da vida doméstica controlada pelos adultos, e a posse de um conhecimento universal, nem sempre pragmático, transmitido pela escola, senhora dos códigos dominantes. É a vertente vinculada mais diretamente ao realismo verista na representação quem se encarregou desta tarefa crítica. Centrando a maior parte das histórias no cenário urbano e utilizando personagens oriundas da classe média, estas narrativas enfatizam os problemas que resultam de seu lugar na escala social e profissional. *O menino e o pinto do menino*, de Wander Piroli, inaugura, de certo modo, essa inclinação, ao abordar as dificuldades experimentadas por uma família encastelada num pequeno apartamento, quando o filho menor ganha da professora um pinto. O assunto do texto é a impossibilidade de assimilação do animal aos apertos que vivencia o grupo, devido à falta de local, de dinheiro, de harmonia. O sacrifício do pinto representa, pois, o do próprio menino que perde a ilusão de poder trazer algo de seu mundo particular ou de seu desejo privado para dentro do lar. Não há espaço para ambos – menino e pinto – nesse campo estreito, assim como para a própria classe média no espectro social brasileiro, esmagada entre os apelos de ascensão e consumo e a necessidade de sobrevivência econômica.

Instantâneo da vida familiar da pequena burguesia urbana nacional, *O menino e o pinto do menino* documenta a perda do paraíso infantil, por obra dos próprios adultos: a professora, que ilusoriamente doa o animal, acreditando estar agindo com correção; os pais, que criticam a mestra, dividem os sentimentos do menino (entre o afeto a eles ou à boa professora) e são incapazes de alcançar a solução para um problema aparentemente simples. Desmistifica-se o adulto, ao fazer com que perca sua aura mágica de remediador, e desnuda-se a vida doméstica como lugar de conflito e irascibilidade.

Coisas de menino, de Eliane Ganem, segue trajetória similar. Ao adotar como protagonista central a menina Clarice, o livro mostra o desajuste entre os desejos infantis e as aspirações do adulto: os pais constroem moldes para os filhos, contra os quais alguns se rebelam, como é o caso da garota. Decorre daí o clima de hostilidade dentro da casa, que avulta nas brigas entre os irmãos ou entre pais e filhos. Outra vez o cotidiano é documentado, servindo a literatura como meio para a revelação das contradições do sistema burguês: liberal por princípio, acaba por impor formas comportamentais; patrocinando a imagem da família como célula harmônica, revela-a cindida em gerações e sexos em conflito.

O fracasso do modelo burguês evidencia-se ainda mais no confronto com a família favelada: Nezinho, que se converte no pivete Olho de Boi, e sua mãe querem introduzir o padrão vigente da família ajustada e do filho educado. Contudo, a pressão social é mais forte, decorrendo tanto dos preconceitos (contra o menino de cor e analfabeto) que impedem que ele tenha um emprego, quanto dos desacertos da sociedade brasileira: o crescimento da camada pobre gera o marginal a quem resta tão somente o crime enquanto chance de sobrevivência. Assim, a norma em vigor é duplamente posta em questão: a partir de seu interior, por intermédio da insatisfação de Clarice; e de seu exterior, quando sua imagem se turva nas deformações da sociedade nacional.

Dessa forma, a vertente mais engajada com uma representação verista do contexto social urbano atinge seu objetivo inicial, ao denunciar os desequilíbrios no interior da unidade doméstica que uma literatura mais tradicional sempre incensou. Todavia, são essas mesmas metas os limites do programa artístico: a denúncia toma a configuração de uma fotografia exterior do problema, de modo que não é filtrada pelas personagens, e muito menos pelos heróis crianças. Dessa maneira, como no caso do modelo eufórico, este modelo crítico ainda encerra seus heróis no círculo familiar, embora apareça incômodo e desajustado. O fato fica evidente quando se verifica que as personagens mirins não conseguem elaborar internamente a crítica que o narrador – um adulto, como se pode constatar em *O menino e o pinto do menino* – desenvolve, por intermédio de seu procedimento narrativo ou dos acontecimentos desdobrados no tempo. Mesmo quando os eventos são apresentados em primeira pessoa, como em *O dia de ver meu pai*, de Vivina de Assis Viana, a autora não produz um esboço compreensível do problema de sua personagem, o menino Fabiano, que é igualmente o narrador. Assim, por não transcender ao fato crítico (a dissolução da família, devido à separação dos pais), o herói não se transforma internamente, de modo que se lhe torna impraticável uma emancipação dos laços domésticos, convertidos numa modalidade de prisão domiciliar.

Configuram-se as fronteiras que experimenta um modelo crítico de representação da família, fundado numa perspectiva verista de tratamento literário. Da mesma maneira, esboça-se aquilo em que ele pode-se tornar, se seguir o processo evolutivo a que naturalmente aponta: na criação de uma personagem que tem em mira sua emancipação individual de acordo com um ângulo questionador das circunstâncias sociais e familiares nas quais está inserida.

O Modelo Emancipatório

Monteiro Lobato poderia representar o primeiro exemplo deste modelo: recusando a intermediação dos pais na relação entre a criança e a realidade, coloca seus heróis numa posição de autonomia em relação a uma instância superior e dominadora. Dona Benta, a avó, é antes uma governanta do Sítio (a ela cabem as tarefas de provisão econômica e alimentar, funções concomitantemente paterna e materna) e uma preceptora, ministrando o saber no momento em que é solicitada e fazendo com que as criaturas que vivem com ela se postem criticamente perante a realidade.

Ao mesmo tempo, o escritor deu maleabilidade ao cenário criado: o Sítio do Pica-pau Amarelo pode ser um microcosmo do Brasil (como em *O poço do Visconde*), tendo um funcionamento metafórico em relação à realidade da criança leitora; ou então representa parte de um todo que ultrapassa os meninos e Dona Benta, de modo que eles lançam-se para fora, experimentando contextos desconhecidos, sempre numa postura interrogadora.

Lobato evita, por intermédio desses recursos, as armadilhas em que caíram os adeptos do modelo eufórico:

– o retorno dos heróis, imprescindível à continuação das histórias, significa invariavelmente uma aprendizagem e um crescimento do conhecimento da realidade;

– este retorno não significa necessariamente um reconhecimento da superioridade do lugar de origem, visto que, em alguns casos, esta volta não é bem acolhida por alguns heróis (Emília, em *A chave do tamanho*);

– o fato de que, em muitas narrativas, outros agentes sejam introduzidos no Sítio e depois queiram abandoná-lo (o anjinho, em *Memórias de Emília*) indica a reversibilidade do sistema e a similaridade entre o Sítio e o que não lhe pertence.

Não se pode, pois, afirmar que Monteiro Lobato tenha promovido um conceito estabelecido de existência familiar e doméstica e lutado por ele em suas obras. Embora se reconheçam nos livros momentos do cotidiano, como, por exemplo, o serão na fazenda, o fato insere-se num contexto maior, que é o da discussão dos valores que emergem em tais circunstâncias. O serão, que aparece em *Peter Pan*, ou *Serões de D. Benta*, propicia o momento do diálogo; as atividades econômicas ou os jogos são os pretextos com base nos quais surgem as grandes aventuras: assim, o imperialismo aparece em *O poço do Visconde*, e o lúdico, no uso do pó de pirlimpimpim, que está na base das trajetórias no tempo e no espaço. A partir daí nasce a possibilidade do padrão emancipatório antes referido; não se trata de um reforço da estrutura familiar ou de uma reforma em seu interior, mas da proposta de um outro funcionamento da relação entre indivíduos, segundo a qual ficam suprimidas as divisões estanques entre o adulto e a criança, assim como as ligações de dependência e sujeição entre eles.

Com Monteiro Lobato, abre-se a perspectiva de uma proposta renovadora no tratamento das relações familiares e do lugar da criança em seu contato com o mundo exterior ou com os maiores. Todavia, evitando proceder a uma crítica à família (como ocorre no modelo antes examinado), o escritor simplesmente a aboliu de seus textos, sonegando o problema (viu-se como Dona Benta tem antes uma função administrativa, e não doméstica). Gerou-se, pois, uma lacuna e, diante da alternativa de lançar seus heróis no contemporâneo ou introduzir um setor intermediário dentro do qual a solução final pudesse ser protelada, o escritor optou pela segunda. Foi assim que o Sítio se converteu numa escola, de modo que a escolha feita mostrou-se ainda marcada pelos condicionamentos pedagógicos de seu tempo, quando a mentalidade escolarizadora encontrava-se em fase de expansão, em decorrência do reaparelhamento da sociedade para a circunstância burguesa emergente.

Devido a isso, não existe solução de continuidade entre os livros informativos e os propriamente ficcionais desse autor. Em todos, os protagonistas vivem uma situação escolar, na qual o tempo estagnou, de modo que sua progressão intelectual não é acompanhada por uma evolução cronológica, seja dos indivíduos envolvidos nela, seja do ambiente. Como quando frequentam o colégio, os meninos isolam-se do meio vivo, podendo então receber um saber universal e teórico, separado da práxis diária. É esta que falta nos livros, de modo que, ao lado da sonegação da família, foi abolida a atualidade, o que converteu o Sítio num reduto inexpugnável, dentro do qual, como na escola, as crianças nunca precisam crescer, para não poder escapulir dela. Esbarrando a criação lobateana neste limite, é preciso verificar se mesmo esse protótipo não pode ser rompido, instaurando-se uma nova espécie de visão emancipadora para o leitor mirim.

É nos relatos de Lygia Bojunga Nunes que se pode constatar a ficcionalização dessa alternativa emancipadora, já que os laços de parentesco ocorrem na maioria de seus textos. Não em *Os colegas*, sua primeira narrativa, que enfatiza a importância da amizade e solidariedade entre as pessoas, mas em *Angélica* e *A bolsa amarela*, que colocam em questão o lugar da criança no interior do grupo familiar. É a heroína do primeiro relato que o desafia, quando nega a mentira sobre a qual se apoia a celebridade das cegonhas. Raquel, no outro livro, sente o peso da falta de prestígio das condições (somadas) de criança e mulher. Angélica, pois, enfrenta os adultos, abandonando o meio em que vive, para construir sua vida isoladamente; Raquel, pelo contrário, é sufocada pelo ambiente doméstico, do qual não escapa, podendo, quando muito, racionalizar que ser menina não é tão ruim assim. A cegonha oferece a lição de uma existência exterior à família e, como em *Os colegas*, o convívio com os artistas substitui o calor doméstico, *Ersatz* compensatório de uma carência deflagrada pela decisão da protagonista. E Raquel se conforma com seu estado, fornecendo, neste caso, aos companheiros mágicos o exemplo a ser seguido – o guarda-chuva, da validade de ser mulher; o alfinete de fraldas, da validade de ser pequena.

Os livros mencionados buscam a emancipação da criança perante os condicionamentos que os adultos impõem a ela, utilizando o período existencial dominado pela circunstância familiar – a infância, fase deficitária do indivíduo, porque ele acumula dependências (econômica, alimentar, cognitivas e outras), sem poder oferecer qualquer contrapartida. Entretanto, as balizas dessa emancipação mostram um horizonte relativamente estreito de ação – de um lado, o abandono do lar, compensado pela vida de artista, numa comunidade de iguais; de outro, o conformismo com o presente, num assumir-se que é igualmente uma espécie de adaptacionismo. Em *A bolsa amarela*, esse fato ainda é reforçado por outro, quando a personagem é presenteada com um último consolo: ao visitar a Casa dos Consertos, descobre que há famílias boas e funcionais, como a que vive em tal lugar.

Corda bamba rompe com essa inclinação, oferecendo a modalidade de emancipação autêntica. Maria, a protagonista central, não se converte em artista, como os animais em *Os colegas,* e *Angélica* ou Raquel, em *A bolsa amarela*, que quer ser escritora; sendo apresentada de imediato como equilibrista de circo, sua caracterização como artista suplanta, de antemão, a de ser criança. E o fato de ser hábil na corda bamba simboliza sua situação humana, não por estar numa faixa etária infantil, mas porque precisa superar uma dificuldade radical, a amnésia. Em vista disso, com Maria, confluem profissão e estado existencial, sem que interfira no processo o fato de ainda ser uma menina. O horizonte do tratamento do problema se alarga, no momento em que a autora desiste de circunscrever a personagem ao âmbito exclusivo de sua faixa etária.

Por sua vez, atribuindo a Maria uma amnésia decorrente da não assimilação da morte dos pais num acidente no circo, o livro apresenta como pode ser tratada a relação conflitiva da criança no interior da família. Filha de um casal de equilibristas, Márcia e Marcelo, Maria vem morar, quando fica órfã, com a avó materna, Dona Maria Cecília Mendonça de Melo. A narrativa mostra, do ponto de vista exterior, os primeiros momentos da nova vida de Maria: suas aulas particulares, a festa de aniversário, o relacionamento com os avós; do ângulo interno, apresenta o lento avançar da menina rumo a seu passado, descobrindo na memória (e no sonho) o primeiro encontro entre seus pais, a ruptura de Márcia com sua mãe devido à inferioridade social do noivo, o nascimento da filha, a vida circense. O momento mais traumático é, para Maria, a aceitação da morte dos dois, que concordam com uma exibição na corda sem a rede protetora, a fim de obter um rendimento melhor e pagar as dívidas contraídas com a garota, o que ocasiona suas mortes simultâneas e o sentimento de culpa na filha.

A recuperação da memória vem acompanhada de uma liberação total – da culpa, já que fora Maria Cecília quem verdadeiramente ocasionara as dívidas que Márcia queria pagar; da influência dos pais, pois, ao assumir sua morte, a menina se livra simultaneamente do poder repressivo da avó e da lembrança opressiva ocasionada pela perda dos genitores. Trata-se, simbolicamente, da ruptura de um cordão umbilical, representado, na obra, pela corda bamba que conduz a menina de volta a seus procriadores. Reconquistar o passado é também desprender-se dele e, portanto, desenvolver recursos para viver autonomamente o futuro. Por isso, o livro encerra sintomaticamente com um catálogo de projetos mentalizado pela protagonista.

Em *Corda bamba*, Maria defronta-se com muitos genitores: de um lado, os pais ideais, Márcia e Marcelo, o casal modelar que ela perdeu; de outro, os pais reais, a repressora Maria Cecília e o benévolo, mas indiferente, Pedro; e, enfim, os pais sobressalentes (substitutivos), Barbuda e Foguinho, a quem Maria apela quando falham tanto o sonho, quanto a realidade. Dividindo, dessa maneira, em pares diferentes a percepção distinta que a menina tem de seus parentes, o livro oferece concomitantemente uma visão da família por seu prisma dicotômico (isto é, em sua repartição entre afeto e abafamento) e a necessidade de uma emancipação destes dois protótipos de vida doméstica. É nessa medida que o relato rompe com a trajetória antes referida pela autora e que não representava uma liberação verdadeira: porque a protagonista, que oscilava entre dois modelos familiares – o real e o substitutivo –, vem criar instrumentos para uma vida autônoma, decorrente de uma conquista interior. Raquel chega a esse ponto e estaciona; Maria passa pelo processo que oferece os meios individuais para esse salto fora do lar e procede ao mesmo, como antecipara Angélica. Síntese, pois, das garotas das narrativas precedentes, é Maria quem demonstra a medida da emancipação, sem recorrer seja a circunstâncias que são tão somente uma pergunta (a escola, o grupo de artistas), seja ao conformismo, ainda que temporário, determinando a rota de uma possível representação da existência burguesa na literatura infantil fora da camisa de força de seus valores ideológicos, promovidos pelos adultos.

Se a literatura infantil está circunscrita historicamente pela emergência de uma classe social, a burguesia, e alguns de seus pilares ideológicos, como a valorização específica dada à família e à situação infantil, ela pode, por esta mesma razão, proceder a uma representação deste processo. Interioriza, desse modo, os fatores que estão na raiz de sua produção como gênero literário, valendo-se seja dos recursos ligados ao maravilhoso e à fantasia, como nos relatos de Monteiro Lobato e Lygia Bojunga Nunes, seja da antropomorfização de animais e objetos, à maneira de Érico Veríssimo, ou ainda respeitando os limites do verismo. Em todos esses casos, e independentemente da opção técnica, o que se evidencia é o aproveitamento da temática familiar segundo uma óptica afirmativa e eufórica ou crítica e inquiridora. Tal escolha determinará, por sua vez, o compromisso do texto com uma postura pedagógica ou não, visto que é o afastamento desta índole transmissora de normas e ensinamentos um dos fatores de sua autonomia e valor artístico. Se, por um lado, a produção nacional ainda se sujeita em muitos casos ao patrocínio de um modo de vida marcado pela dominação da criança e afirmação do poder adulto, por outro, avulta igualmente a tendência contrária, por meio do reformismo ou do questionamento, visando antes à ênfase na emancipação do ser humano, condição para a mudança das circunstâncias que produziram tais aparelhos de dominação.

A REVITALIZAÇÃO DA MEMÓRIA NACIONAL

São tantas lutas inglórias
São histórias que a história
Qualquer dia contará
De obscuros personagens
As passagens, as coragens
São sementes espalhadas pelo chão
De juvenais e de raimundos
Tantos julios de santana
Uma crença num enorme coração
Dos humilhados e ofendidos
Explorados e oprimidos
Que tentam encontrar a solução
Luiz Gonzaga Jr.: *Pequena memória*
para um tempo sem memória
(A legião dos esquecidos)

É a "legião dos esquecidos", de que fala a canção de Luiz Gonzaga Jr., que parece ter adentrado na literatura por intermédio das novelas *O soldado que não era* e *Do outro lado tem segredos*, respectivamente de Joel Rufino dos Santos e Ana Maria Machado. Se a literatura infanto-juvenil, quando se debruçou sobre os eventos da História do Brasil, sempre procurou reforçar seu compromisso com a versão oficial dos fatos, aqueles escritores invertem o ângulo de tratamento do problema e lhe dão novas dimensões. Com isso, não apenas questionam a narrativa tradicional que retirou sua inspiração do passado nacional, mas procuram romper o cordão que a prende umbilicalmente ao livro didático. Desse modo, evitam o problema vivenciado por essa espécie de texto – sua natureza escolar, subsidiando as informações recebidas na sala de aula, as quais endossa entusiasticamente; decorrência disto é sua transformação em apêndice do sistema escolar, o que impede a autonomia da obra e, sobretudo, corrobora sua inclinação pedagógica.

Em vista disso, inverter o tratamento dado ao fato histórico gera estas consequências:

– enfatiza-se o indivíduo anônimo ou humilde que faz a História nacional, evitando apresentá-lo como produto dela, o que ocorre quando se veicula que nossos principais heróis são apenas os líderes ou os generais (como nos relatos sobre as Bandeiras, em Viriato Correa, ou à Guerra do Paraguai, nos livros didáticos), ou que todos se dobram passivamente a leis, decretos e outras determinações oriundas da esfera administrativa do Estado (conforme as notícias relativas à abolição da escravatura, resumida numa lei sancionada pela Regente);

– rompem-se necessariamente os laços ideológicos da literatura infantojuvenil com o aparelho escolar, subsidiário do poder político e da classe dominante;

– emerge uma visão crítica dos fatos narrados e dos participantes neles, mais ou menos ativos.

Por isso, *O soldado que não era*, ao contar a história do levante baiano contra as tropas portuguesas que resistiam à proclamação da independência liderada por Pedro I, contrapõe-se à versão difundida que apresenta o episódio da autonomia política como um acontecimento transcorrido "às margens plácidas" do riacho Ipiranga. Desautorizando a placidez paralisada do mito oficial, Joel Rufino dos Santos mostra as lutas sangrentas e os sacrifícios vividos pelo povo da Bahia na defesa da liberdade política.

O caráter popular do levante é outro aspecto ressaltado pelo autor em sua narrativa. Evitando fazer uma história de militares e aristocratas, salienta os heróis populares que tomaram parte no evento e cujo sangue foi o preço da vitória. Destaca-se, por esse ângulo, sua heroína, "o soldado que não era" Maria Quitéria de Jesus, moça humilde, filha de um pequeno proprietário, que abandona a família para acompanhar o exército nacional que enfrenta o poder lusitano. O livro recupera, portanto, uma personagem em geral negligenciada pela história brasileira, já que, quando é mencionada, a jovem aparece tão somente como curiosidade, espécie de enfeite ou pitoresco que sempre caracteriza o ensino do passado numa nação que procura ignorar os heróis provenientes das camadas menos favorecidas.

Dessa forma, em sua novela, Joel Rufino dos Santos propõe uma sequência de desmistificações dignas de menção, porque consistem numa revisão da tradição nacional:

– a de que não houve dificuldades, nem derramamento de sangue nos episódios relativos à conquista da autonomia nacional, o que garante a continuidade dos laços coloniais entre Brasil e Portugal e, por extensão, o imperialismo europeu;

– a de que se pode continuar ignorando a participação popular no movimento separatista, quando ela existiu e tomou colorações nacionalistas.

E, usando como protagonista central uma mulher, o autor ainda problematiza a questão da eventual colaboração feminina nos episódios que dizem respeito à trajetória da sociedade brasileira. Vale dizer, ele mostra as dificuldades que revestiram as possibilidades de participação num acontecimento político, já que não apenas Maria Quitéria precisou antes travestir-se em homem para ser aceita como soldado, como sua ação jamais foi reconhecida pelo pai, que a expulsou da família e deserdou-a. Nessa medida, evidenciando os contornos do pensamento da época, seus preconceitos e limitações, Joel Rufino dos Santos evita um nacionalismo desmesurado, o que aproximaria seu livro de outras tantas visões deturpadas do passado local.

O ufanismo ainda é contornado pela introdução, no texto, de um segundo narrador. Quem conta os principais episódios da luta é o corneteiro Luis Lopes, de modo que as opiniões mais exacerbadas e ufanistas pertencem a ele, e não ao narrador primeiro, que se apresenta como um ouvinte mais jovem. Esse recurso permite que se atenue o entusiasmo e os exageros de Lopes, que participou dos principais eventos transcritos. E possibilita igualmente que o autor evidencie ficcionalmente o fenômeno mesmo que o levou a escrever o livro: o de que, por negligência da história oficial, comprometida com o poder político, esquecemos nossos heróis mais simples. Desse modo, Lopes introduz a seus ouvintes de lembrança curta a valente Maria Quitéria, cuja importância nem seus vizinhos recordavam, os quais ainda faziam blague dela, por não entenderem seus hábitos excêntricos. Em vista disso, o ouvinte reproduz a situação do leitor juvenil, e este tem meios a partir daí de refletir sobre os fatos da história e o modo como ele é normalmente convidado, por meio, principalmente, da ação da escola, a consumi-los.

O processo de recuperação de uma memória recalcada pela versão oficial dos acontecimentos, usando para isto o próprio adolescente que é leitor ou personagem do texto, ocorre igualmente na narrativa de Ana Maria Machado, *Do outro lado tem segredos*. Não se tratando de um relato propriamente histórico, como o anterior, seu propósito é mostrar como a coletividade negra foi rompendo pouco a pouco os laços com seu passado. Assim, o livro apresenta, de um lado, o protagonista central, Benedito ou Bino, em busca da compreensão de suas raízes com base nas referências esparsas que recebe dos mais velhos. Coletando e compondo os pedaços, o menino obtém um quadro de informações mais completo sobre o aprisionamento e escravização dos negros africanos, suas constantes revoltas, o papel do líder Zumbi e, o que é mais importante, o lugar que ocupa Bino neste encadeamento de fatos. Por outro lado, por intermédio da inquirição do garoto, o livro alcança a dimensão do relato de cunho histórico, pois reconstitui os eventos mencionados antes e fornece novos meios de interpretação dos modos como se deu a ocupação e colonização do território americano.

Assim, a narrativa organiza-se em duas camadas, correspondendo a primeira à trajetória passada dos negros, desde a prisão pelos brancos, até a introdução de sua cultura no interior da sociedade e história brasileiras, e a segunda, à lenta apropriação por Bino deste acervo de ocorrências por intermédio de sua investigação. Quando os dois motivos se encontram, constituindo no conhecimento que o protagonista adquire sobre si mesmo e sobre as origens de seu povo e situação social, o menino conquista o solo sobre o qual constrói sua existência e consolida seu entendimento sobre a amplitude dos costumes e ambiente que o circundam. De modo que, integrando o tratamento do problema e o horizonte de compreensão do herói ainda menino à perspectiva crítica buscada, esta pode questionar a tradição e recuperar uma parte – e a menos nobre, o que propiciou sua rejeição – do passado da nação.

Do outro lado tem segredos e *O soldado que não era* são, pois, narrativas que compartilham um projeto comum: de um lado, visam mostrar acontecimentos em geral obscurecidos nos livros que se ocupam em transmitir a vida colonial brasileira e o processo de autonomia política (respectivamente dos negros e brancos, provando que não se deram da mesma maneira). De outro, lidam com o modo de recuperação desses eventos: perante uma memória amordaçada pela falta de informações verdadeiras ou precisas, torna-se necessária uma tomada de decisão rumo à inversão do procedimento. Por isso, ambos os livros interiorizam o problema, fazendo que as personagens discutam o esquecimento e tratem de preencher esta lacuna com dados verídicos sobre a realidade e a tradição. Graças a tais escolhas, a literatura infantojuvenil também se transforma e modifica a tendência de ser mera parceira dos números oficiais, rumando para sua autonomia artística e valorização estética.

REFERÊNCIAS BIBLIOGRÁFICAS

ARIÈS, Philippe. *História social da criança e da família*. Rio de Janeiro: Zahar, 1978.

ARISTÓTELES. *Poética*. Porto Alegre: Globo, 1966.

ARROYO, Leonardo. *Literatura infantil brasileira*. São Paulo: Melhoramentos, 1968.

BAACKE, Dieter. Der junge Leser in Sozialisationsprozess. Zur Konstituition von Realität. In: *Modern realistic stories for children and young people*. 16th IBBY-Congress. Germany: Arbeitskreis fur Jugendliteratur e. V., 1978.

BÁRBARA, Danúsia. A violência da vida real, *Jornal do Brasil Livro* nº 33. Rio de Janeiro, 21 maio 1977, p. 6.

BAUMGÄRTNER, Alfred Clemens. Realistische Literatur fur Kinder. Möglichkeiten und Grenze. In: *Modern realistic stories for children and young people*. 16th IBBY-Congress. Germany: Arbeitskreis fur Jugend-literatur e. V., 1978.

BELINKY, Tatiana. Literatura infantil é Monteiro Lobato. In: SILVA, João Carlos Marinho. *Conversando de Monteiro Lobato*. São Paulo: Obelisco, 1977.

BENJAMIN, Walter. Paris, capital do século XIX. In: LIMA, Luiz Costa. *Teoria da literatura em suas fontes*. Rio de Janeiro: Francisco Alves, 1975.

BETTELHEIM, Bruno. *A psicanálise dos contos de fadas*. Rio de Janeiro: Paz e Terra, 1978.

BORDINI, Maria da Glória. *Corda bamba:* caminho para o inconsciente de Maria. *Correio do Povo*, Porto Alegre, 27 out. 1979. Caderno de Sábado.

BROTMAN, Jordan. A late wanderer in Oz. In: EGOFF, Sheila; STUBBS, G. T.; AHLEY, L. F. (Ed.). *Only connect*. Reading on children's literature. Toronto and New York: Oxford University Press, 1969.

CANDIDO, Antonio. A literatura e a formação do homem. *Ciência e Cultura*, São Paulo, v. 24, n. 9, set. 1972.

CESAR, Guilhermino. Um precursor de Lobato. *Correio do Povo*, Porto Alegre, 3 dez. 1977. Caderno de Sábado.

CHARLOT, Bernard. *A mistificação pedagógica*. Rio de Janeiro: Zahar, 1979.

COSTA, Jurandir Freire. *Ordem médica e norma familiar*. Rio de Janeiro: Graal, 1979.

DONZELOT, Jacques. *The policing of families*. New York: Pantheon Books, 1979.

EMEDIATO, Luís Fernando. A literatura infantil abandona o reino do faz de conta. *Jornal do Brasil*, Rio de Janeiro, 21 maio 1977. Livro.

ENGELEN, Bernhard. Zur Sprache des Kinder- und Jugend Buchs. In: LYPP, Maria (Org.). *Literatur fur Kinder*. Göttingen: Vandenhoeck und Ruprecht, 1977.

FAORO, Raymundo. *Os donos do poder*. Formação do patronato político brasileiro. Porto Alegre: Globo; São Paulo: Universidade de São Paulo, 1975.

FILIPOUSKY, Ana Mariza; ZILBERMAN, Regina. *Érico Veríssimo e a literatura infantil*. Porto Alegre: Instituto Estadual do Livro; Universidade Federal do Rio Grande do Sul, 1978.

FUHRMANN, Manfred. *Einfuhrung in die antike Dichtungstheorie*. Darmstadt: Wissenschaftliche Buchgesellschaft, 1973.

GADAMER, Hans-Georg. *Verdad y método*. Salamanca: Sigueme, 1977.

HAAS, Gerhard. Einleitung. In: HAAS, Gerhard (Org.). *Kinder- und Jugendliteratur*. Zur Typologie und Funktion einer literarischen Gattung. Stuttgart: Reklam, 1976.

HAMBURGER, Käte. *A lógica da criação literária*. São Paulo: Perspectiva, 1975.

HAYDEN, Rose Lee. *The children's literature of José Bento Monteiro Lobato of Brazil*. A pedagogy for progress. Ann Arbor: University Microfilm International, 1974.

HOLANDA, Sérgio Buarque de. *Visão do paraíso*. São Paulo: Nacional, 1977.

JANSEN, Carl. Ao leitor. In: GEIKIE. A. *Geografia physica*. Adapt. de Carl Jansen. 3. ed. Rio de Janeiro: Francisco Alves, s.d.

JAUSS, Hans-Robert. *La literatura como provocación*. Barcelona: Península, 1976.

KITTO, H. D. F. *Poiesis*. Structure and thought. Berkeley and Los Angeles: University of California Press, 1966.

KLINBERG, Göte. *Kinder- und Jugendliteraturforschung*. Eine Einfuhrung. Köln-Wien-Graz: Böhlaus Wissen--schaftliche Bibliothek, 1973.

LEESON, Robert. *Children's books and class society*. Past and present. London: Writers and Readers Publishing Cooperative, 1976.

LÉVI-STRAUSS, Claude. *O pensamento selvagem*. São Paulo: Nacional, 1970.

LIMA, Luiz Costa. *Estruturalismo e teoria da literatura*. Petrópolis: Vozes, 1971.

LUTHI, Max. *So leben sie noch heute*. Betrachtugen zum Volksmärchen. Göttingen: Vandenhoeck und Ruprecht, 1976.

——— . *Es war einmal*. Vom Wesen des Volksmärchens. Göttingen: Vandenhoeck und Ruprecht, 1977.

LYPP, Maria. Asymetrische Kommunikation als Problem moderner Kinderliteratur. In: KAES, Anton; ZIMMER-

MANN, Bernhard (Org.). *Literatur fur Viele I.* Göttingen: Vandenhoeck und Ruprecht, 1975.
LYPP, Maria. Einleitung. In: LYPP, Maria (Org.). *Literatur fur Kinder.* Gottingen: Vandenhoeck und Ruprecht, 1977.
MACHADO, Roberto et al. *Danação da norma.* Medicina social e constituição da psiquiatria no Brasil. Rio de Janeiro: Graal, 1978.
PEUKERT, Kurt Werner. Zur Anthoropologie des Kinderbuches. In: HASS, Gerhard (Org.). *Kinder- und Jugendliteratur.* Zur Typologie und Fuktion einer literarischen Gattung. Stuttgart: Reklam, 1976.
POSTER, Mark. *Teoria crítica da família.* Rio de Janeiro: Zahar, 1979.
PROPP, Wladimir. *Las raíces historicas del cuento.* Madrid: Editorial Fundamentos, s.d.
——— . *Morphologie du conte.* Paris: Seuil, 1970.
RAMOS, Ricardo. Realismo, em sinal de respeito à criança. *IstoÉ,* São Paulo, p. 40-41, 3 ago. 1977.
RIBEIRO, Maria Luiza Santos. *História da educação brasileira.* A organização escolar. São Paulo: Cortez & Moraes, 1979.
RICHTER, Dieter. Til Eulenspiegel – der asoziale Held und die Erzieher. *Kindermedien. Ästhetik und Kommunikation.* Berlim: Ästhetik und Kommunikation Verlag, n. 27, abr. 1977.
——— ; MERKEL, Johannes. *Marchen, Phantasie und soziales Lernen.* Berlin: Basis Verlag, 1974.
RICOEUR, Paul. *Interpretação e ideologias.* Rio de Janeiro: Francisco Alves, 1977.
RÖHRICH, Lutz. *Märchen und Wirklichkeit.* Wiesbaden Franz Steiner Verlag, 1974.
SANDRONI, Laura Constancia. Retrospectiva da literatura infantil brasileira. *Cadernos da PUC/RJ.* Rio de Janeiro: Pontifícia Universidade Católica do Rio de Janeiro, n. 33, 1980.

SHORTER, Edward. *The making of the modern family.* Glasgow: Fontana/Collins, 1979.
STONE, Lawrence. *The family, sex and marriage in England 1500-1800.* London: Pelican Books, 1979.
TOWNSEND, John Rowe. Didacticism in modern dress. In: EGOFF, Sheila; STUBBS, G. T.; ASHLEY, L. F. *Only connect.* Readings on children's literature. Toronto and New York: Oxford University Press, 1969.
——— . *Written for children.* London: Penguin, 1977.

Arquivo pessoal

Regina Zilberman, nascida em Porto Alegre, licenciou-se em Letras pela Universidade Federal do Rio Grande do Sul e doutorou-se em Romanística pela Universidade de Heidelberg, na Alemanha. É professora da Pontifícia Universidade Católica do Rio Grande do Sul, onde leciona Teoria da Literatura e Literatura Brasileira. Dirige a Faculdade de Letras e coordena o Programa de Pós-Graduação em Letras. Entre 1987 e 1991, dirigiu o Instituto Estadual do Livro, instituição ligada à Secretaria de Cultura, do Governo do Estado do Rio Grande do Sul. Foi Honorary Research Fellow no Spanish & Latin American Department, da Universidade de Londres, no ano escolar de 1980-1981. Realizou o pós-doutoramento no Center for Portuguese & Brazilian Studies, da Brown University, Rhode Island (EUA). É pesquisadora 1A do Conselho Nacional de Desenvolvimento Científico e Tecnológico (CNPq). Foi assessora-científica da Fapergs, entre 1988 e 1993. Coordenou a área de Letras e Linguística entre 1991-1992 e 1993-1995, da Fundação Capes, fazendo parte de seu Conselho Técnico-Científico. Pertenceu ao Conselho Estadual de Ciência e

Tecnologia, do Estado do Rio Grande do Sul. Participou, entre 1999 e 2001, do Comitê Assessor para a área de Letras e Linguística, do CNPq. Recebeu, em 2000, na Universidade Federal de Santa Maria, o título de Doutor Honoris Causa. Preside atualmente a Associação Internacional de Lusitanistas, com sede em Coimbra, Portugal. São publicações suas, entre outras: *A invenção, o mito e a mentira* (1973); *São Bernardo e os processos da comunicação* (1975); *Do mito ao romance: tipologia da ficção brasileira contemporânea* (1977); *A literatura no Rio Grande do Sul* (1980); *A literatura infantil na escola* (1981); *Literatura infantil: autoritarismo e emancipação* (1982); *Literatura infantil brasileira: história & histórias* (1984); *Literatura gaúcha: temas e figuras da ficção e poesia do Rio Grande do Sul* (1985); *Um Brasil para crianças* (1986); *Alvaro Moreyra* (1986); *Leitura: perspectivas interdisciplinares* (1988); *A leitura e o ensino da literatura* (1988); *Estética da recepção e história da Literatura* (1989); *Literatura e pedagogia: ponto & contraponto* (1990); *A leitura rarefeita* (1991); *Roteiro de uma literatura singular* (1992); *A terra em que nasceste: imagens do Brasil na literatura* (1994); *A formação da leitura no Brasil* (1996); *O berço do cânone* (1998); *Pequeno dicionário da literatura do Rio Grande do Sul* (1999); *Fim do livro, fim da leitura?* (2001); *O preço da leitura* (2001). Organizou as seguintes antologias: *Os melhores contos de 1974* (1975); *Masculino, feminino, neutro: ensaios de semiótica narrativa* (1976); *O signo teatral* (1977); *Linguagem e motivação* (1977); *O Partenon Literário: poesia e prosa* (1980); *Mário Quintana* (1982); *Melhores contos de Moacyr Scliar* (1984); *Geração 80* (1984); *Mel & girrasóis* (1988). Tem ensaios publicados nas revistas *Iberoromania*

(Alemanha), *Lectura y Vida* (Argentina), *Luso-Brazilian Review* (EUA), *Modern Language Studies* (EUA), *Europe* (França), *Letras de Hoje* (Brasil), *Tempo Brasileiro* (Brasil), *Ciência e Cultura* (Brasil), *Hispania* (EUA), *Brasil Brazil* (EUA/Brasil), entre outras.

Publicações da Global Editora na área de leitura

A casa imaginária: leitura e literatura na primeira infância
Yolanda Reyes Villamizar

A formação do leitor literário: narrativa infantil e juvenil atual
Teresa Colomer

A literatura e os jovens
Elizabeth D'Angelo Serra (org.)

A questão do negro na sala de aula
Joel Rufino dos Santos

Andar entre livros: a leitura literária na escola
Teresa Colomer

Caro professor
Ana Maria Machado

Construindo o leitor competente: atividades de leitura interativa para a sala de aula
Regina Maria Braga e Maria de Fátima Barros Silvestre

Espaços públicos e tempos juvenis
Marilia Pontes Sposito (coord.)

Introdução à literatura infantil e juvenil atual
Teresa Colomer

Ler é preciso
Elizabeth D'Angelo Serra (org.)

Ler o mundo
Affonso Romano de Sant'Anna

Letramento no Brasil
Vera Masagão Ribeiro (org.)

Letramento no Brasil: habilidades matemáticas
Maria da Conceição Ferreira Reis Fonseca (org.)

Literatura eletrônica – Novos horizontes para o literário
N. Katherine Hayles

Mediação de leitura: discussões e alternativas para a formação de leitores
Fabiano dos Santos, José Castilho Marques Neto e Tania M. K. Rösing (orgs.)

O banquete dos deuses
Daniel Munduruku

O clube do livro – Ser leitor, que diferença faz?
Luzia de Maria

Programa Bebelendo: uma intervenção precoce de leitura
Rita de Cássia Tussi e Tania M. K. Rösing

Ruptura e subversão na literatura para crianças
Maria Lucia Machens

Sobre ler, escrever e outros diálogos
Bartolomeu Campos de Queirós